PLUS ÇA CHANGE...

LA FRANCE
ENTRE HIER ET DEMAIN

EDWARD KNOX
HUGUETTE-LAURE KNOX

HATIER

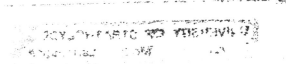

à Jean Carduner

PLUS ÇA CHANGE...

Ce livre présente des thèmes et des contextes particulièrement importants pour connaître la France contemporaine.

Il cherche aussi à développer une capacité linguistique pour accompagner cette nouvelle connaissance : les termes qu'il faut savoir mais aussi des notions qui permettent d'exprimer quelques relations entre ces termes.

Notre titre, qui exprime une perspective française assez ancienne, est donc doublement symbolique : il rappelle que les changements de surface peuvent cacher une stabilité plus profonde, et il le fait avec une construction *(plus... plus...)* qui se trouve déjà au premier chapitre.

Nous espérons que ces lectures vous intéresseront et vous aideront à réfléchir sur votre propre pays comme sur la France d'aujourd'hui.

Edward Knox
Huguette-Laure Knox

© HATIER, Paris MAI 1989
ISBN 2-218-07740-1

TABLE DES MATIÈRES

POUR ENSEIGNER AVEC "PLUS ÇA CHANGE..."

Ce livre relève de la volonté de fournir un matériel de civilisation qui traite l'étudiant au même niveau de maturité que ses autres études ou lectures, plutôt qu'à son simple niveau linguistique. Cela dit, si nous voulons insister sur un certain contenu actuel, nous ne perdons pas de vue la nécessité de renforcer les compétences linguistiques du lecteur. Nous estimons même que l'étude de la civilisation doit marier forme et fond pour arriver à la fois à une connaissance plus approndie et à la capacité d'en faire quelque chose activement et en français : analyser, discuter, comparer.

On peut donc l'utiliser de plusieurs façons :
- indépendamment, comme un livre de lectures au même titre que n'importe quelle anthologie ou œuvre littéraire de difficulté moyenne ;
- comme le contexte d'une révision de grammaire ou le point de départ d'un cours d'expression orale ou écrite ;
- comme un manuel de langue et civilisation pour le niveau intermédiaire et au-delà, grâce à l'appareil pédagogique ;
- pour mettre en contexte des documents de civilisation, que ce soit par exemple une des anthologies disponibles ou des photocopies d'articles d'actualité, ainsi qu'un film ou une séquence vidéo.

Du côté de la civilisation, il nous semble en effet important d'offrir une idée de la France actuelle mais en même temps des structures qui changent plus lentement et qui représentent donc la sphère de référence des Français d'aujourd'hui. C'est dire qu'avant de se laisser tenter par les détails de la dernière réforme scolaire, ou de rechercher le nom de l'actuel ministre des Finances, il faut une connaissance de la toile de fond, ses structures et ses lignes de force.

4

Nous proposons de procéder par étapes, parmi lesquelles l'enseignant est bien entendu libre de choisir. Le fond, c'est, nous l'avons dit, la France contemporaine — en gros la France des années 80. Deux principes nous ont guidé dans la présentation :

1. Aller du particulier au général, notamment en suivant un peu la trajectoire du Français : la formation de la famille d'abord, ensuite l'école et l'espace dans lequel on est appelé à vivre, puis le monde du travail et la position sociale qui en résulte, enfin les structures globales que sont l'économie et la politique. Selon nous cette approche inductive permet beaucoup plus à l'étranger de s'y retrouver. C'est aussi pourquoi les chapitres sur l'économie et la politique en particulier comportent chacun une première partie proche d'une perspective individuelle, et qui peut remplacer l'étude du chapitre en entier. Enfin, les lectures sont plus longues au fur et à mesure que l'on avance dans le livre.

2. Chercher en même temps à amener l'étudiant non seulement à situer et à analyser, mais surtout à établir des contrastes. D'abord en distinguant entre hier et demain, nous l'avons déjà dit, mais aussi en découvrant ce qui distingue un(e) Français(e) d'un(e) autre grâce au choix des thèmes et secteurs (âge, sexe, niveau d'études, catégorie socio-professionnelle, situation géographique, revenu, adhésion politique). C'est ce qui explique l'ample présence de statistiques et de sondages. Ensuite en l'incitant à rapprocher ce qu'il apprend de sa propre situation et de son pays d'origine, par exemple en anticipant sur les questions à poser dans un sondage ou en analysant le libellé des questions : ainsi apparaîtront les choix sur lesquels repose une culture. Du reste, si un des buts essentiels de l'étude de la civilisation est de briser les stéréotypes, ceci est tout aussi valable pour son propre pays et nous conseillons à l'enseignant de se méfier des idées toutes faites que l'étudiant peut avoir sur une situation qu'il croit bien connaître parce qu'il y vit. Enfin, le dernier chapitre est proposé comme une ouverture sur les valeurs et sur des discussions plus libres, que ce soit à la fin du parcours ou pour élargir et enrichir le sens d'un chapitre en particulier.

Notre approche étant contextuelle et globale, il conviendra éventuellement de recourir pour une vision « anthropologique » complémentaire — comment les Français se comportent linguistiquement entre eux — à un manuel comme celui de Chamberlain et Steele, *Guide pratique de la communication* (Didier, 1985), ou Cicurel, Pedoya et Porquier, *Communiquer en Français* (Hatier, 1987). Par ailleurs, nous n'avons pas assorti les textes de présentation de l'appareil lexical détaillé que l'on trouve souvent dans des manuels à ce niveau, estimant que la maturité et l'authenticité recherchées passent par un minimum de recours aux outils de référence de base. Enfin, les encarts qui ponctuent les textes et qui orientent vers une lecture de la presse sont dans l'ensemble plus difficiles que les textes de présentation, et vous voudrez en doser l'usage ou les supprimer selon le niveau du groupe. (Des guillemets dans les encarts indiquent qu'il s'agit du point de vue personnel de la personne citée.)

Ce n'est pas à dire que l'étudiant soit laissé à lui-même devant une culture qu'il ne connaît pas (et à propos de laquelle il a sûrement bon nombre d'idées préconçues), ni devant la langue à travers laquelle il est censé la découvrir. Les textes ont été rédigés et présentés avec le double souci d'authenticité et d'accessibilité, en utilisant les termes propres mais en évitant des tournures, des transitions, etc., trop avancées. L'appareil linguistique surtout a été conçu pour développer une capacité à traiter cette nouvelle matière. Enfin, nous ne confondons pas l'aptitude plus grande à lire et à comprendre un texte écrit et celle, plus limitée, à en rendre compte oralement ou par écrit. Les présentations de vocabulaire comme les exercices reprennent donc les choses beaucoup plus près de la base.

Nous avons en particulier isolé deux lexiques qu'il nous semble également urgent de faire maîtriser si l'on veut promouvoir une véritable compétence en civilisation.

Le premier, assez classique, est le lexique du champ à proprement parler (l'école, l'économie, la politique, etc.), qui est développé à travers une lecture et les exercices qui l'accompagnent.

Le deuxième, c'est le champ notionnel qui permet d'utiliser et d'articuler ces termes dans un contexte de relations qui les accompagnent pour ainsi dire naturellement : la variation en nombre et dans le temps, la comparaison, la cause et l'effet, l'opinion et le jugement, etc. Les exercices les concernant sont brefs et numérotés pour faciliter leur utilisation et leur intégration pédagogique. Ils vont de plus à moins contraignants, et selon le niveau et l'intérêt des apprenants il conviendra bien entendu d'en sauter. Tout comme vous serez appelé à ajouter des textes de lecture selon les besoins, nous vous invitons aussi à créer des exercices supplémentaires, par exemple en intégrant des tournures vues dans une leçon antérieure pour consolider les acquis. Comme ces notions sont présentées et retravaillées dans un contexte cohérent et significatif, les compétences linguistiques et culturelles se complètent et se renforcent, et il importera de contrôler le travail des étudiants sous ce double aspect.

Nous tenons a remercier enfin nos collègues et amis Jean Carduner, Sophie et Alain Gendrot, Antoine Prost et Gérard Vincent ; Marie-José Leroy de l'UJELC ; Pierre Berringer, Jacqueline Dumas, Jean-Louis Gauthier et Marie Sicart des Editions Hatier. Leurs conseils avertis et encouragements chaleureux ont été fort précieux et fort appréciés.

E.K.
H.L.K.

1. FAMILLE ET POPULATION

"Un mariage de raison"
Lithographie de Gavarni.

Le mariage que nous connaissons aujourd'hui est essentiellement un phénomène du vingtième siècle, et donc assez récent. Il est important de se rappeler les caractéristiques principales du mariage traditionnel si l'on veut mesurer les changements plus récents.

Autrefois le mariage traditionnel était d'abord religieux et indissoluble, puisque l'Eglise n'admettait pas le divorce. Il était aussi hiérarchique, plaçant la femme sous l'autorité du mari et lui laissant très peu d'initiative en ce qui concerne les choix importants dans la vie. Le mariage marquait l'entrée des jeunes dans la société des adultes, et la famille était considérée comme la cellule de base (= l'unité fondamentale) de la société. Il y avait donc beaucoup de continuité entre les générations, qui jouaient un grand rôle dans la transmission des valeurs culturelles.

Bien entendu, on ne peut pas indiquer une année précise où les choses ont commencé à changer, et il s'agit en tout cas de tendances lentes, mais on peut néanmoins indiquer un certain nombre de changements majeurs au cours de la première moitié du vingtième siècle.

- On se marie davantage.
- On tend vers une plus grande égalité pour la femme. (Le père cessera d'être légalement le chef unique de la famille en 1970.)
- Le mariage est de plus en plus fondé sur l'amour, et de moins en moins sur la notion du mariage de raison.
- Certaines fonctions et missions de la famille traditionnelle sont déléguées progressivement : on naît, on est soigné et on meurt plutôt à l'hôpital que chez soi ; l'instruction et même l'éducation (les manières) se font de plus en plus à l'école ; on apprend son métier à l'extérieur de la famille.

Enfin, on a pu remarquer un certain nombre d'autres changements, dont le rythme s'est accéléré depuis la deuxième guerre mondiale environ. On commence par exemple à parler du « couple » autant que de la famille. Il y a un plus grand partage des rôles entre l'homme et la femme, et on tend – dans les moeurs et dans la législation – vers une libéralisation progressive (mais non totale) de la condition de la femme.

En même temps il y a moins de mariages (417 000 en 1972, 273 000 en 1985), et plus de cohabitation avant le mariage (plus de 40% des couples). Il y a une hausse du taux de divorces (un pour dix mariages en 1900, un pour quatre en 1960, presque un pour trois en 1982 et un pour deux à Paris), et aussi une augmentation du nombre de divorcés qui ne se remarient pas (480 000 en 1975, 860 000 en 1982). Le nombre de familles nombreuses (trois enfants ou plus) diminue et les naissances dans le mariage sont plus espacées ; le nombre des conceptions avant ou en dehors du mariage augmente aussi, ainsi que le nombre de naissances illégitimes (6% en 1960, plus de 22% en 1986). Enfin, le nombre de célibataires a beaucoup augmenté, et une famille sur dix est « monoparentale » aujourd'hui.

On considère souvent l'année 1964 comme un point tournant dans cette évolution, puisque c'est à partir de cette année que les taux de natalité (le nombre de naissances pour mille habitants) et de fécondité (le nombre d'enfants qu'aura une femme dans sa vie) ont commencé à baisser.

Il faut se rappeler que l'histoire démographique de la France est assez particulière. Au XVIIIᵉ siècle elle était, avec la Russie, le pays le plus peuplé d'Europe, et la fécondité élevée compensait la mortalité infantile assez forte. Les Français ont commencé à limiter les naissances dès le XVIIIᵉ siècle, et si la population a grandi au siècle suivant quand la mortalité infantile a commencé à baisser, c'est moins vite que dans les autres pays d'Europe.

Pendant la première moitié du XXᵉ siècle, plusieurs phénomènes ont touché la démographie : moins d'enfants naissent pendant la première guerre mondiale (1914-1918) à cause de l'absence des maris. Pour corriger cette situation une loi votée en 1920 interdit non seulement l'avortement mais même toute publicité concernant la contraception. Le régime de Vichy (1939-1944) pratiquera aussi une politique « nataliste ». Le taux de fécondité commence à remonter dès 1942 et surtout après la deuxième guerre mondiale, et le véritable « baby boom » durera jusqu'en 1964.

A partir donc de 1964 et surtout de 1972 il y a une baisse de fécondité. La natalité ne commencera à baisser qu'en 1973, parce que sous l'effet du « baby boom » le nombre de femmes est encore élevé, et que la France a connu une immigration forte dans les années 1950 et 1960. On a proposé beaucoup d'explications pour cette baisse — un sentiment religieux moins fort, un souci écologique plus fort,

1. En bonne sociologue, Evelyne Sullerot énumère les bouleversements récents qui ont pu contribuer à la dévalorisation du mariage : l'urbanisation sauvage, l'effondrement de la pratique religieuse, la légalisation et la diffusion des contraceptifs, la promotion du travail féminin, la libéralisation du divorce, l'attribution aux enfants naturels de droits égaux à ceux des autres enfants, l'extension de la couverture sociale aux mères célibataires et son renforcement, etc. Et surtout un nouveau système de valeurs, répercuté par les médias, qui met l'accent sur les aspirations narcissiques de l'individu.
Nouvel Observateur, 3 février 1984

2. « Les enfants nés après la guerre, par exemple entre 1946 et 1950, ont été 200.000 de plus chaque année que les générations antérieures, c'est-à-dire beaucoup plus nombreux que ceux qui les précédaient. Ils ont fait éclater toutes les structures dans lesquelles ils sont entrés. Quand ils sont entrés dans les Maternelles, il n'y en avait pas assez pour eux. Quand ils sont entrés dans les écoles, il n'y en avait pas assez pour eux. Quand ils sont arrivés dans les universités, il n'y en avait pas assez pour eux... Ce sont les enfants gâtés de l'après-guerre. La société de consommation, c'est eux. Pas nous. (Nous, nous étions la société de pénurie. J'ai eu mon premier réfrigérateur à trente-quatre ans, ma première voiture à trente-cinq ans). Je crois que c'est eux qui donnent le ton au discours de la société française. »
In Santoni, *Société et culture de la France contemporaine* (Suny-Albany, USA, 1981)

la légalisation de la contraception (1967) et de l'avortement (1975), un égoïsme matérialiste, le travail des femmes, une confiance insuffisante en l'avenir, une tendance cyclique, etc. Il faut en tout cas se souvenir qu'elle a lieu dans tous les pays de l'Ouest, et à peu près au même moment, et qu'en fait la France a un des taux les moins bas. Mais les Français semblent plus inquiets que beaucoup d'autres pays : c'est même un des sujets sur lesquels les Français sont le plus d'accord, même s'ils ne sont pas d'accord sur la solution.

Il y a une autre statistique particulière en ce qui concerne la France, c'est que cette baisse de la fécondité et de la natalité touche surtout les familles nombreuses (deux enfants au lieu de trois, etc.). Elle ne représente donc pas un refus de l'enfant. Presque tous les couples capables d'avoir des enfants en ont au moins un, et souhaitent même en avoir plus d'un (en 1984, 60% en voulaient deux, et 24% trois). Enfin, le premier enfant naît plus tard qu'autrefois, et c'est surtout à partir du troisième enfant qu'une mère s'arrête de travailler.

On a aussi remarqué ces dernières années que la famille française devient une sorte de refuge contre la solitude et l'anonymat de la vie moderne. Au début des années 1980, 75% des Français mariés habitaient à moins de 20 kilomètres d'au moins une de leurs familles d'origine, et leurs contacts étaient fréquents : coups de téléphone, dîners de famille, garde des petits-enfants par les grands-parents, vacances communes, etc. 75% des jeunes habitent encore chez leurs parents à 20 ans, 24% à 24 ans.

Il reste cependant que comme le taux de reproduction de la population (2,1 enfants par femme) n'a pas été atteint depuis plusieurs années (2,9 en 1964, 1,7 en 1983), la population française sera de plus en plus inégalement répartie entre les générations. Les conséquences à l'avenir risquent d'être :

- une planification difficile (pour le logement, les écoles, la santé, etc.) ;
- un déséquilibre entre le nombre de ceux qui travaillent et ceux qui ne travaillent pas (difficultés pour trouver du travail et pour financer la retraite des aînés) ;

---

3. Voici différentes mesures que les pouvoirs publics pourraient prendre pour inciter les Français à avoir plus d'enfants. Parmi celles-ci, quelles sont celles qui vous semblent les plus efficaces ?[1]

Augmenter fortement les allocations familiales	16%
Accorder des réductions d'impôts plus importantes	20%
Donner des primes importantes à partir de la naissance du troisième enfant	8%
Faciliter les possibilités de travail à temps partiel	46%
Allonger la durée du congé de maternité	13%
Verser un salaire pour le père ou la mère qui décide de rester à la maison pour élever ses enfants	54%
Augmenter fortement le nombre de crèches et de garderies	29%
Interdire l'avortement	16%
Interdire la vente de contraceptifs (la pilule)	5%
Sans opinion	8%

1. Le total des pourcentages est supérieur à 100, les personnes interrogées ayant pu donner plusieurs réponses.
Le Nouvel Observateur, 14 janvier 1983

LE POINT

HEBDOMADAIRE D'INFORMATION / 5-12 OCTOBRE 1986

CHIRAC EN FORME

FAMILLE : la frontière du troisième enfant

- une proportion plus élevée d'étrangers ;
- et peut-être surtout une population qui vieillit…

Enfin, il faut se rappeler que l'on compte les immigrés étrangers parmi les 55 millions qui composent la population française. Ils représentaient un peu plus de 4% en 1960 quand la France avait besoin de main-d'œuvre, et environ 7% aujourd'hui, mais avec des variations importantes : leur origine nationale et ethnique (depuis quelques années il y a moins d'Européens et plus d'Africains et de Nord-Africains) ; leur distribution géographique (régions, zones urbaines, quartiers) ; leur situation familiale (célibataire, marié, père/mère de famille) ; leur taux de fécondité, souvent supérieur à celui des Français ; enfin leur degré d'assimilation ou d'intégration.

En effet, divers groupes ethniques et culturels n'ont pas la même conception du rapport entre l'individu et la communauté, de la place de la religion, des relations homme-femme et parents-enfants, etc. Et contrairement à la question « nataliste », celle de la place des immigrés dans la France contemporaine — surtout leur nombre et leurs droits — divise beaucoup les Français… « Pour l'opposition, l'objectif est de ''maîtriser l'immigration'' et de ''préserver l'identité nationale'', alors que pour les socialistes il s'agit de combattre le racisme et de favoriser l'intégration des étrangers dans la société française » (*Le Monde,* 13 novembre 1985). On parle en particulier beaucoup des « Beurs » (= enfants nords-africains, surtout algériens, de la deuxième génération, nés en France et de nationalité française).

4. « (...) jusqu'à une époque récente, ce qu'on appelle le « système intégrateur » a bien fonctionné. D'ailleurs, même si ces vecteurs principaux, en l'occurrence l'école, le patriotisme et aussi l'église sont aujourd'hui plus ou moins en crise, certaines populations, notamment d'Europe du Sud, continuent à bien s'intégrer à la société française. Parce que leur désir profond est de devenir le plus vite possible français à part entière. Et beaucoup d'entre eux réussissent très bien en France et savent reconnaître ce qu'ils doivent à notre pays. En revanche, il y a un problème grave pour une communauté particulière — et ce n'est pas être raciste que de le dire — en l'occurrence la communauté musulmane. Elle s'intègre peu ou mal. Elle veut recréer dans le pays d'accueil la vie du pays d'origine, conserver ses mœurs, sa langue. Certains de ses membres revendiquent même la « non-intégration » comme une valeur positive. Et, précisément, de la part des Français, c'est sur cette communauté que se cristallise l'essentiel de la peur de l'étranger. »
Le Figaro Magazine, 1er juin 1985

5. Tout repose sur un consensus affectif et très respectueux des libertés de chacun : fais-moi plaisir, mais touche pas à mes affaires. C'est ce consensus qui a permis, notamment, le fantastique développement de l'union libre chez les jeunes, qualifiée par le sociologue François Singly de « véritable compromis entre les générations » : celle des jeunes, qui restent à la maison parce que leur insertion professionnelle a pris du retard — études plus longues ou chômage — et celle des parents, heureux d'éviter à leurs enfants un engagement matrimonial précoce, désastreux pour leur carrière.

L'Express, 6 juin 1986

7. ... en l'an 2000 — et c'est dans moins de quinze ans — les effectifs de plus de 60 ans auront augmenté de 2 millions, pour atteindre 12 millions. Quant aux plus de 85 ans, ils seront passés de 700 000 en 1985 à plus de 1 million. Or, et c'est là une situation inédite autant qu'explosive, les retraités ne constitueront plus une population homogène. Quoi de commun, en effet, entre ce préretraité père d'un enfant en maternelle et ce vieillard dément sénile, sinon le sentiment d'être exclu du monde des actifs ? D'un côté, des « jeunes retraités », en quête de loisirs ; de l'autre, ce que les gérontologues ont choisi d'appeler pudiquement « le grand âge ». Comme le dit un sociologue, « il faudra occuper les premiers et s'occuper des autres ».

Le Point, 15 septembre 1986

8. « Pour nous, ils sont algériens, compte tenu de notre Code fondé sur le ''jus sanguinis''. Pour la législation française, qui considère le ''jus solis'', ils sont français. Mais l'important est que ces jeunes ne se sentent pas marginalisés des deux côtés de la Méditerranée. C'est vrai qu'ils vivent mal la coexistence entre la culture française qu'ils ont acquise et qui est dominante et celle de leur famille, qui se réduit à leur entourage immédiat. Alors, ils se sentent mal dans leur peau en qualité d'Arabe et de Français, parce qu'ils se savent fragile dans l'une et l'autre culture... Nous craignons qu'avec le temps la culture de leurs parents ne devienne de plus en plus lointaine. Et comme le jeune risque de n'être pas accepté dans son pays de naissance, il se sentira rejeté de tous. »

In *Le Point,* 16 février 1987

6. * Quels sont, à vos yeux, les deux principaux reproches qu'adressent les Français aux personnes immigrées comme vous ?

aggraver le chômage	72 %
refuser de s'intégrer à la société française en gardant un mode de vie différent	26 %
aggraver l'insécurité	25 %
aggraver le déficit de la Sécurité Sociale	23 %
être à l'origine de certaines grèves, dans l'automobile, par exemple	9 %
autres	4 %

* Finalement, en France aujourd'hui, de quoi souffrent surtout les immigrés comme vous ?

les conditions de logement	53 %
les conditions de travail	44 %
le mal du pays, l'éloignement	25 %
le fait de se sentir menacé d'être renvoyé dans son pays d'origine	21 %
la solitude	14 %
le fait de ne pas être accepté par les Français	12 %
sans réponse	5 %
l'absence de distractions et de loisirs	4 %
autres	4 %

* Qu'est-ce qui vous semble le plus positif en France ?

le fait de pouvoir trouver du travail plus facilement que chez vous	42 %
la liberté de s'exprimer	42 %
la Sécurité Sociale, les avantages sociaux	39 %
le fait d'être mieux payé	31 %
le mode de vie des Français	18 %
sans réponse	5 %

* Plusieurs réponses étant possibles pour une même personne interrogée, le total des réponses est supérieur à 100.

Le Point, 10 octobre 1983

VOCABULAIRE

N.B. Pour vous aider à travailler, nous présentons ici le vocabulaire de civilisation du premier chapitre. Dans les chapitres suivants c'est le texte du chapitre qui servira de présentation. L'astérisque (*) indique un exemple pris dans une citation.

le couple (l'homme et la femme) ; le couple marié : le mari et la femme
- « *on commence à parler du 'couple'* »
- « *moins d'enfants à cause de l'absence des maris* »
- « *un plus grand partage des rôles entre l'homme et la femme* »

la famille = le père + la mère + les enfants
- « *le père cesse d'être légalement le chef unique en 1970* »
- « *pas un refus de l'enfant* »

les parents = aussi l'oncle, la tante, les cousins, les grands-parents (grand-mère, grand-père), les petits-enfants
- « *la garde des petits-enfants par les grands-parents* »

la « famille nombreuse » = trois enfants ou plus
- « *le déclin du nombre des familles nombreuses* »

attendre un enfant = être enceinte = la grossesse

la naissance (naître)
- « *la France a commencé à limiter les naissances* »
- « *on naît et on meurt plutôt à l'hôpital que chez soi* »

élever un enfant ; faire garder un enfant (à la maison, dans une crèche)
- « *rester à la maison pour élever ses enfants* » *
- « *augmenter le nombre de crèches et de garderies* » *

la cohabitation (= vivre ensemble)
- « *moins de mariages et plus de cohabitation avant le mariage* »

se marier (être **célibataire** ≠) ; le mariage ≠ le divorce
- « *le mariage traditionnel était religieux et indissoluble* »
- « *l'Eglise n'admettait pas le divorce* »
- « *on se marie davantage au début du vingtième siècle* »
- « *le nombre de célibataires a beaucoup augmenté* »

NB. on se marie avec quelqu'un (= épouser quelqu'un) ; c'est le Maire ou le prêtre qui marie quelqu'un ; le mot divorcer ne prend pas de complément (« elle a divorcé »).

la contraception = prendre la pilule, par exemple
- « *la légalisation de la contraception (1967)* »
- « *interdire la vente de contraceptifs (la pilule)* » *

l'avortement
« *une loi votée en 1920 interdit l'avortement* »
NB. la forme la plus courante du verbe est se faire avorter

la libéralisation ≠ l'interdiction de (interdire) quelque chose.
- « *une libéralisation progressive de la condition de la femme* »
- « *une loi votée en 1920 interdit l'avortement* »
NB. on interdit (ou permet) à quelqu'un de quelque chose.

la démographie = l'étude de la population
- « *plusieurs phénomènes ont touché la démographie* »

le taux de natalité = le nombre de naissances pour 1 000 habitants

le taux de fécondité = le nombre d'enfants qu'aura une femme
- « *les taux de natalité et de fécondité ont commencé à baisser* »

les groupes
la France (le pays) ; les Français (tout le monde)
- « *l'histoire démographique de la France est particulière* »
- « *les Français ont commencé à limiter les naissances* »

on (général : les gens)
- « *on se marie plus ; on est soigné à l'hôpital* »

NB. Avec un chiffre, on utilise personnes plutôt que gens (« les gens se marient moins », mais « deux personnes se sont mariées »).

EXERCICES

I. Faites une phrase avec chacun des mots suivants.
1. famille nombreuse
2. personnes
3. cohabitation
4. les Françaises
5. le taux

II. Trouvez les questions auxquelles ces phrases sont les réponses.
1. A mon avis, c'est surtout à cause de la « révolution sexuelle ».
2. Probablement parce que les gens n'ont pas assez confiance en l'avenir.
3. Au contraire, il y a plus de divorces aujourd'hui qu'autrefois.
4. 2,9 en 1964, 1,7 en 1983.
5. Personnellement, je trouve que la baisse de la natalité est inquiétante.

III. Mettez les phrases suivantes au passé (passé composé ou imparfait, selon le cas). Vous ferez tous les changements nécessaires : temps de verbe, adjectifs, etc. Attention aussi au sens de la nouvelle phrase.
1. Sa femme attend un enfant.
2. Les Français se mettent à faire moins d'enfants.
3. Le couple moderne ne se marie pas, mais se sépare souvent.
4. Aujourd'hui l'avortement n'est pas interdit.
5. Les immigrés représentent toujours à peu près le même pourcentage de la population française.

IV. Dites si les phrases suivantes sont vraies ou fausses, et expliquez pourquoi.
1. Les Français ont un plus grand problème démographique que d'autres pays.
2. Un taux de natalité assez bas n'est pas vraiment un problème.
3. La famille est la meilleure base de la société.
4. Il y a moins d'enfants parce que les femmes travaillent plus.
5. Si les gens pouvaient facilement vivre ensemble, il y aurait moins de divorces.
6. Les immigrés doivent faire un choix entre les coutumes de leur pays d'origine et celles où ils sont venus vivre.
7. Les familles nombreuses sont les plus heureuses.

V. Travail écrit. Faites un éditorial à propos de la démographie (100 mots environ) en utilisant les mots et expressions suivants dans n'importe quel ordre : pilule, depuis + passé composé, grossesse, permettre, 1964, à l'avenir, famille, natalité, %, baisser. (Cet exercice peut aussi être fait oralement en classe sous forme de débat.)

VI. Discuter cette citation (peut se faire par écrit) : « Avec le grand nombre d'étrangers que nous avons accueillis sans les contrôler, et qui, bien souvent, sont incontrôlables, une menace terrifiante pèse sur la nation. Dans des circonstances identiques, un gouvernement aussi démocratique que celui des États-Unis a mis dans des camps toute une population de Japonais, et cela, dès 1941 ». (Jean-Marie Le Pen, cité dans L'Express, 22 avril 1988).

LA VARIATION

dans le temps

autrefois ≠ aujourd'hui ≠ à l'avenir

NB. autrefois demande d'habitude l'imparfait, à l'avenir le futur ou le futur proche
- « même si aujourd'hui ces vecteurs principaux sont en crise... » *
- « Autrefois le mariage traditionnel était religieux et indissoluble »
- « Les conséquences à l'avenir risquent d'être... »

au Nième siècle
en N année
dans les années N

- « *Au* XVIIIe *siècle, la France était le pays le plus peuplé d'Europe* »
- « *une loi votée* en 1920 *interdit l'avortement* »
- « *une immigration forte* dans les années 1950 et 1960 »

N.B. on dit « les années 50 et 60 »

avant = précédent, qui précède = antérieur
après = suivant, qui suit = postérieur

- « *les conceptions* avant *ou en dehors du mariage* »
- « *200 000 de plus que les générations* antérieures »*
- « *beaucoup plus nombreux que ceux* qui les précédaient »
- « après *la deuxième guerre mondiale, le véritable 'baby boom'* »

le moment, l'année où = le point tournant

commencer à ≠ cesser de faire qqch.

N.B. Ces verbes, qui marquent le début ou la fin d'un processus, seront d'habitude utilisés au passé composé.

- « *On considère souvent l'année 1964 comme* un point tournant »
- « *difficile de trouver* une année où *les choses ont* commencé à *changer* »
- « *le père* cessera *d'être légalement le chef unique de la famille en 1970* »

à partir de (cela a commencé/cessé en)

dès (cela a commencé/cessé en . . . déjà)

- « *A partir de 1964 et surtout* de 1972 *il y a une baisse de fécondité* »
- « *la natalité commence à remonter* dès 1942 »

continuer à/de faire qqch. (les deux prépositions sont acceptables)

- « *N% des 18-24 ans* continuent de *vivre chez leurs parents* »
- « *certaines populations* continuent à *bien s'intégrer à la société* »*

depuis N années, depuis une date = une continuité

+ le présent = un phénomène continu

- « depuis *quelques années il y a . . . plus d'Africains* »
- « *la légalisation de l'avortement en 1975* » = *c'est légal* depuis 1975

+ le passé composé avec la négation = ce qui n'arrive plus

- « *le taux de remplacement* n'a pas été *atteint* depuis *plusieurs années* »

en nombre

NB. le nombre = une quantité donnée (25 000) ; le numéro = le chiffre écrit (4, rue de Chevreuse, 43.20.70.57, etc.).

- *le* chiffre = *la statistique (25 000 ; 2,1)*
- *le* taux = *l'indice, le pourcentage (40% = « quarante pour cent »)*

plus/moins de + un nombre ou un substantif

- « moins de *mariages, et* plus de *cohabitation avant le mariage* »
- « *les Français souhaitent même en avoir* plus d'un [enfant] »
- « *75% des Français mariés habitent à* moins de 20 *kilomètres* »
- « *un peu* plus de 4% [d'immigrés] *en 1960* »
- « moins d'Européens *et* plus d'Africains *et de Nord-Africains* »

la hausse, l'augmentation ≠ la baisse, le déclin, la réduction

augmenter, grandir ≠ baisser, diminuer

- « *une* hausse *du taux de 'divortialité', une* augmentation *du nombre de divorcés qui ne se remarient pas* »
- « *le nombre de familles nombreuses* diminuent »
- « *le nombre des naissances illégitimes* augmente »
- « *la population a* grandi *quand la mortalité infantile a baissé* »
- « *à partir de 1964 le taux de fécondité a commencé à* baisser, *il y a une* baisse *de fécondité* »
- « *Accorder des* réductions *d'impôts plus importantes* »*

progressivement = de plus en plus/de moins en moins
- « certaines fonctions et missions de la famille traditionnelle sont déléguées _progressivement_ »
- « le mariage de la première moitié du vingtième siècle est _de plus en plus_ fondé sur l'amour et _de moins en moins_ sur la notion de mariage de raison »

plus... plus... ≠ moins... moins... (une progression en cause une autre ; on peut dire aussi « plus..., moins... »)
- « _moins_ il y a d'enfants, _moins_ il faut partager »
- et... _plus_ ça change, _plus_ c'est la même chose !

EXERCICES

I. Remplissez les blancs selon le texte de présentation.
1. Le taux de natalité actuel est . . . . élevé . . . . autrefois.
2. Le taux de divorce est actuellement en . . . .
3. Avant . . . . ; depuis . . .
4. . . . . 1975 l'avortement est . . . . en France.
5. . . . . années 1960 le taux de fécondité a commencé à . . . .
6. Il y a . . . . mariages aujourd'hui, mais plus de . . . .
7. A partir de . . . . la famille a . . . . de remplir certaines fonctions traditionnelles.
8. Le taux de natalité des générations antérieures . . . .
9. En 1967 . . . .
10. Depuis quinze ans . . . . baisse mais . . . . augmente.
11. Pour moi, 1964 est l'année . . . .
12. La . . . . du taux de divorces préoccupe beaucoup de gens aujourd'hui.
13. . . . . XIXᵉ siècle le mariage . . . .
14. Depuis une génération à peu près . . . . (ne pas) . . . .
15. Autrefois . . . . mais aujourd'hui . . . .
16. Le nombre de . . . . n'est pas . . . . à celui . . . .
17. Le taux de fécondité des . . . . est . . . . des . . . .
18. Si le taux de . . . . continue . . . ., alors . . . .
19. Plus les jeunes vivent en cohabitation . . . .

II. Faites une phrase avec les éléments suivants, d'abord en ajoutant supérieur/inférieur et ensuite avec hausse/baisse.
1. En 1900 environ/natalité/aujourd'hui
2. Au début des années 1960/mariages
3. Actuellement/divorces/autrefois
4. Aujourd'hui/cohabitation/baisse
5. A l'avenir/nombre de naissances
6. Depuis/la famille/(passé composé)

III. Travail écrit. Une grand-mère (75 ans) écrit à sa petite-fille de 14 ans pour lui raconter sa propre situation quand elle avait son âge et lui donner des conseils. Faites la lettre en une centaine de mots et en utilisant généreusement le vocabulaire du couple et de la famille, et de la variation.

2. LE SYSTÈME ÉDUCATIF

Sortie de l'école communale.
(école primaire).

L'organisation des enseignements primaire et secondaire.

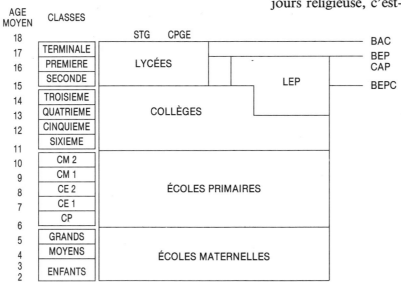

AGE MOYEN	CLASSES			
18		STG CPGE		BAC
17	TERMINALE			BEP
16	PREMIERE	LYCÉES		CAP
15	SECONDE		LEP	
14	TROISIEME			BEPC
13	QUATRIEME	COLLÈGES		
12	CINQUIEME			
11	SIXIEME			
10	CM 2			
9	CM 1			
8	CE 2	ÉCOLES PRIMAIRES		
7	CE 1			
6	CP			
5	GRANDS			
4	MOYENS	ÉCOLES MATERNELLES		
3 2	ENFANTS			

I. *Structures*

L'école est obligatoire en France de six à seize ans.
L'enseignement public (85% environ des élèves) est gratuit et laïque.
L'école privée ou libre (15%) est payante et presque toujours religieuse, c'est-à-dire catholique (90%).

Source : Ministère de l'éducation. Effectifs d'élèves 1983-1984. *Dossiers et documents du « Monde »,* octobre 1985.

Après l'école maternelle (de 2 à 5 ans), on peut distinguer trois niveaux :

le primaire – de 6 à 11 ans, on est élève, on a des instituteurs/institutrices (maîtres/maîtresses), et un directeur/une directrice.

le secondaire – de 11 à 17 ans

- le collège : de la sixième à la troisième
- le lycée : la seconde, la première, la terminale

On est élève, on a des professeurs, et un(e) directeur/-trice (collège) ou un proviseur (lycée).

Il y a des orientations en cinquième, troisième et seconde pour savoir quelles études on va continuer de faire ; à la sortie de la seconde on est orienté vers : la vie active, l'ensei-

---

1. Pour vous, l'orientation scolaire, est-ce l'affaire des parents, des jeunes ou des professeurs ?

	Parents %	Lycéens %
Des parents	44	5
Des jeunes	26	82
Des professeurs	23	9
Sans opinion	7	4

S'il n'y avait aucun problème de niveau scolaire, souhaiteriez-vous faire ou que votre (vos) enfant(s) fasse(nt) plutôt des études littéraires, des études scientifiques, des études économiques ou des études techniques ?

Des études littéraires	7	20
Des études scientifiques	27	42
Des études économiques	17	22
Des études techniques	35	12
Sans opinion	14	4

Le Nouvel Observateur, 21 février 1986

Bulletins scolaires d'élèves de l'enseignement secondaire.

21

Le Point, 7-13 septembre 1987

2. ...[Il serait] souhaitable que, sauf comme signal en début de carrière, le rôle des diplômes diminuent au profit des performances réelles, et notamment dans la fonction publique.

Rapport Lesourne, décembre 1987

3. « Comment vous imaginez-vous dans dix ans ? »	Ensemble des étudiants %	Grandes écoles %
— Consultant, membre d'une profession libérale ou travailleur indépendant	41	22
— Fonctionnaire ou salarié du secteur public	25	7
— Salarié d'une grande entreprise	14	41
— Patron d'une entreprise que vous aurez créée	10	10
— Dirigeant d'une PME . .	4	12
— Autre et ne se prononce pas	6	8

Le Monde Campus, 6 mars 1986.

gnement professionnel court, ou une filière qui mène au baccalauréat traditionnel. Les <u>filières</u> de bac sont, dans l'ordre de prestige descendant : C (mathématiques), D (biologie-sciences naturelles), B (économie), A (lettres), F et G (à dominante industrielle et commerciale).

le supérieur :

- l'université (85% environ)
- les grandes écoles (9-10%)
- les IUT (Instituts Universitaires de Technologie = 5-8%)
- on entre à l'université avec le baccalauréat, aux IUT sur dossier (= notes + appréciations des professeurs), dans les grandes écoles sur concours (une compétition pour un nombre de places limité).

la plupart des étudiants préparent :

- un diplôme : à l'université — le DEUG (2 ans), la licence (1 an), la maîtrise (1 an), le doctorat (4 ans maximum) ; aux IUT — le DUT (2 ans).
- ou un concours : à l'université, surtout le CAPES ou l'agrégation, qui préparent à l'enseignement. Dans les grandes écoles, le concours de sortie, qui établit un classement des élèves.

Les <u>grandes écoles</u> méritent une remarque à part — il s'agit de l'Ecole Nationale d'Administration (l'ENA), Ecole Polytechnique (« X »), Ecole Centrale, Ecole Normale Supérieure, Ecole des Hautes Etudes Commerciales (HEC, privée), et bien d'autres. D'un niveau très élevé, les concours d'entrée aux grandes écoles sont préparés pendant deux ou trois ans après le baccalauréat. Peu d'élèves sont admis, et il est même très difficile d'être admis aux classes préparatoires. Dans les grandes écoles publiques, les élèves sont payés comme fonctionnaires par l'Etat, et le prestige de leur formation suit les « anciens élèves » pendant toute leur carrière. Créées pour fournir des administrateurs d'Etat de très haut niveau, elles continuent de le faire mais forment en même temps beaucoup de futurs hommes politiques et de responsables de grandes entreprises. Les grandes écoles ont donc un impact très considérable sur l'élite dirigeante française.

II. *Vocabulaire de l'enseignement*

Tous les termes et expressions mentionnés dans la partie I sont importants pour pouvoir parler du système éducatif français. Il est important aussi de savoir distinguer entre un certain nombre d'entre eux, par exemple :

On distinguera aussi les types de travaux scolaires et universitaires, et les verbes qui les accompagnent :

dans le secondaire, un élève :

*   <u>fait du</u> français, <u>des</u> maths, etc. ;
*   <u>a</u> (assiste à) des cours, des travaux dirigés ou pratiques ;
    <u>rédige</u> des dissertations, et <u>prépare</u> des exposés ;
    <u>a</u> des contrôles, et des interrogations (écrites/ orales) ;
    <u>a</u> une note

dans le supérieur, un étudiant :

*   a une (matière) <u>dominante</u> ;
*   s'appelle : angliciste, économiste, francisant(e), historien(ne), littéraire, mathématicien(ne), politologue, scientifique, sociologue, etc. ;
*   <u>fait des UV</u> (unités de valeurs) ;
    <u>assiste à</u> des cours et des séminaires, des travaux dirigés (lettres) ou pratiques = « labo » (sciences) ;
    <u>a</u> des contrôles, des devoirs sur table, des dissertations, des exposés ;
    <u>suit</u> le contrôle continu (plusieurs contrôles pendant l'année)
    ou <u>présente</u> l'examen à la fin de l'année.

Par exemple :

élève/étudiant,
instituteur/ professeur,

éducation/formation

Par ex. on ne dit pas « avoir une bonne éducation » (plutôt : être bien élevé) ; on dira donc « avoir une bonne formation » (= avoir fait de bonnes études).

Par exemple :
un contrôle
un examen
un concours

passer un examen
présenter un concours
réussir, être reçu, à un examen
(≠ échouer, l'échec)

enseigner une matière à quelqu'un
apprendre à quelqu'un à faire quelque chose

LUNDI	MARDI	MERCREDI	JEUDI	VENDREDI	SAMEDI
Anglais	/	/	/	/	Allemand
Histoire	Economie	Maths	Français	/	Français
Permanence Anglais	Physique	T.P.	"	Maths	Géographie
Histoire	Maths	Physique	Economie	⊥	"
Gymnastique	Allemand			Allemand	
"	Français		/	Français	
Physique	Anglais			Anglais	

Emploi du temps d'un élève de seconde en 1986.

23

EMPLOI DU TEMPS DES ÉTUDIANTS

	Droit/Sci. Eco.		Lettres		Sciences		Médecine		Ensemble	
	1973	1985	1973	1985	1973	1985	1973	1985	1973	1985
Temps de sommeil	62 h 06	61 h 25	61 h 55	61 h 55	61 h 00	59 h 23	59 h 30	59 h 48	61 h 20	60 h 48
Temps de cours	14 h 42	17 h 06	13 h 23	16 h 03	19 h 00	22 h 42	18 h 55	22 h 04	16 h 06	18 h 54
Temps travail univ.	20 h 25	16 h 31	21 h 12	16 h 34	21 h 25	15 h 18	29 h 12	22 h 24	22 h 36	16 h 48
Temps travail rémunéré	5 h 55	1 h 50	5 h 55	2 h 57	4 h 35	0 h 49	2 h 00	1 h 25	4 h 59	1 h 43
Lecture + temps d'information	4 h 12	5 h 13	3 h 00	5 h 36	3 h 00	4 h 07	2 h 55	3 h 33	3 h 25	4 h 50
Temps de sport	1 h 25	2 h 17	0 h 50	1 h 47	1 h 20	2 h 11	1 h 15	2 h 07	1 h 10	2 h 09
Temps cultur. spect.	2 h 00	2 h 03	1 h 55	2 h 07	2 h 00	2 h 09	1 h 30	1 h 52	1 h 50	2 h 04
Temps syndic., relig.	0 h 35	0 h 25	0 h 50	0 h 42	0 h 30	0 h 40	0 h 50	0 h 25	0 h 40	0 h 31

Le Monde de l'Education, avril 1987

4. « J'avais très peur de cette rentrée, parce qu'on m'a dit souvent que le lycée, c'est très différent. Il faut savoir prendre des notes, travailler par soi-même et être indépendant. On m'a dit aussi qu'il y a beaucoup de travail qui nous attend, et que nous devons le faire en très peu de temps. »

In *Cahiers pédagogiques*, avril 1987

5. Quelque chose a changé dans l'éducation nationale depuis le 1er janvier dernier. Un changement essentiel et pourtant presque imperceptible de l'extérieur. Ce jour-là, le système éducatif français a rompu symboliquement avec le jacobinisme, pour entrer dans une ère nouvelle : celle de la décentralisation (...)
L'éducation nationale cède aux collectivités locales la construction et la gestion des établissements du second degré (départements pour les collèges, régions pour les lycées), mais elle conserve des prérogatives fondamentales : définition des programmes, délivrance des diplômes et nomination des professeurs.

Le Monde, 8 mai 1986

6. Le niveau [depuis vingt ans] s'est « *massivement élevé* » en mathématiques, en économie ou en langues vivantes. En revanche, il a décru en français : l'expression orale et écrite, mais surtout l'argumentation, ont décliné. Même si le niveau s'est maintenu en histoire et en géographie, la liaison entre les différentes connaissances pose problème. « *Le rationalisme est menacé et l'enseignement ne peut pas ne pas être rationaliste* », conclut le rapport.

Le Monde de l'Education, février 1984

III. Traits marquants et problèmes

1. UNE CENTRALISATION TRÈS FORTE

C'est l'Etat qui impose les programmes, organise les concours et les examens, délivre les diplômes jusqu'au baccalauréat. Les enseignants sont nommés et rémunérés par l'Etat, et sont donc plus responsables devant lui que devant les familles ou la communauté, par exemple. Certains considèrent cette centralisation comme la meilleure façon de garantir la qualité et l'objectivité du système, l'égalité de traitement pour tous ; d'autres y voient une source de rigidité et une capacité insuffisante à s'adapter.

2. UNE PLACE TRÈS IMPORTANTE DANS LA VIE DES FRANÇAIS

L'Education Nationale est « la plus grosse entreprise de France », et les Français prennent leur système éducatif très au sérieux. Chaque année la « rentrée » (= le premier jour de l'école, début septembre) est le sujet de reportages dans la presse et à la télévision. Le taux de scolarisation est particulièrement élevé : 90% environ sont à l'école dès l'âge de trois ans. Le nombre de bacheliers a doublé entre 1950 et 1960, triplé entre 1960 et 1970, et augmenté de 30% entre 1970 et 1980. Le nombre d'étudiants a triplé entre 1970 et 1980. Fin 1987, le ministre de l'éducation a proposé que pour l'an 2000 74% des élèves arrivent au niveau du baccalauréat.

Le personnel enseignant est très qualifié, les diplômes exigés pour l'enseignement étant d'un très haut niveau

Devant l'école.

de connaissances et la rémunération assez élevée par rapport à d'autres pays. Les études elle-mêmes sont exigeantes : l'horaire est lourd (entre 25 et 30 heures par semaine au lycée), le rythme est rapide, et le niveau est élevé. C'est ainsi que la réforme « Monory » (1986-87) cherche à alléger les programmes et les rythmes scolaires (durée de la semaine, fréquence des congés). Ceux qui réussissent ont donc une bonne culture générale et une très bonne formation dans leur matière principale. Mais tout le monde ne réussit pas.

3. UN ENSEIGNEMENT DE MASSE AVEC DES CRITÈRES D'ÉLITE = LA SÉLECTION

En effet, c'est plutôt à l'élève de s'adapter au système que l'inverse, et la sélection est rigoureuse.

Pendant toute la scolarité le nombre de redoublements (= le fait de refaire une année) est très élevé, et environ 50% des élèves quittent l'école à 16 ans. De plus, sur cent élèves qui ont commencé à six ans, on estime que trente seulement arriveront en terminale (et 11% seulement à l'âge « normal ») ; deux sur trois seulement réussiront leur bac du premier coup (85% environ en tout). Autre indication de sélectivité : le pourcentage de réussite au bac C, le plus difficile et le plus prestigieux, est plus élevé qu'aux autres bacs (75% en juin 1985 contre 68% pour l'ensemble des autres bacs). Enfin, et malgré tout cela, nombreux sont ceux qui affirment chaque année que « le niveau baisse ! »

Etant donné cette situation (à cause d'elle ? malgré elle ?) beaucoup de parents cherchent à assurer à leurs enfants un maximum de chances. En suivant leur travail de près, en aidant avec les devoirs à la maison, en faisant redoubler une année pour essayer de rentrer dans une meilleure filière, etc. Et aussi selon un certain nombre d'autres « stratégies scolaires ».

Ainsi, on inscrira son enfant dans une école privée même si on n'est pas particulièrement religieux, ou on prendra comme première langue étrangère en sixième l'allemand, réputé difficile et choisi donc en principe par les meilleurs élèves (ou leurs parents), et l'option latin ou grec en quatrième pour la même raison. A Paris surtout, certains essaieront de le mettre dans un « meilleur »

---

7. Parmi les raisons suivantes, quelles sont, pour vous, les deux plus déterminantes dans le choix que vous avez fait de confier vos enfants à l'enseignement privé (question posée aux parents des écoles privées).

	En 1er %	En 2e %
Le respect de la discipline	31	19
Des enseignants bien motivés	15	19
Le libre choix du lieu géographique	13	7
L'existence d'un enseignement religieux	9	11
De « bonnes fréquentations » pour les enfants	9	16
La neutralité politique	9	8
Etre associé de près aux études de vos enfants et à la vie des établissements	8	16
L'innovation pédagogique	6	4

L'Express, 5 mars 1982.

---

8. (...) la nécessité de la diversité. Celle-ci a pris, dans notre pays, la forme d'un dualisme institutionnel : public-privé dans l'enseignement primaire et secondaire ; grandes écoles-universités dans le supérieur...
Les difficultés [de très grandes manifestations] de 1984 et de 1986 viennent de la méconnaissance de cette réalité par les politiques : la gauche a échoué lorsqu'elle a voulu intégrer le public et le privé ; la droite, lorsqu'elle a voulu aligner le recrutement des universités sur celui des grandes écoles, en introduisant un processus de sélection. Les Français ne sont pas hostiles au principe de la sélection, à condition de préserver des établissements à entrée libre, pouvant servir de recours ou d'espace d'orientation.
Le Monde, 11 décembre 1986.

lycée, en demandant l'aide d'amis puissants, en donnant une fausse adresse (à cause de la « carte scolaire », ou en choisissant une langue rare qui n'est pas enseignée au lycée où on se trouve. Enfin, de nombreux Français estiment que tous les bacheliers doivent pouvoir s'inscrire à l'université de leur choix sans sélection ou limite de nombre, même malgré le taux d'échec élevé (plus de 50%) dans les deux premières années d'université.

Dernier aspect de cette sélection, le fait qu'elle est aussi sociale qu'intellectuelle. En effet, les enfants de milieu « aisé » sont plus aidés à la maison et ont plus l'habitude de manier le langage et les abstractions si importantes dans le système français. Même en mathématiques l'origine sociale joue un rôle important, contrairement à ce qu'on avait pensé d'abord. Enfin, dix fois plus de fils d'ouvriers que de fils de cadres supérieurs redoublent leur cours préparatoire (= l'année où on apprend à lire), et ont presque cinq fois moins de chances d'obtenir le baccalauréat. Les fils d'ouvriers sont plus de trois fois moins représentés dans la population étudiante que dans la société, les fils de cadres supérieurs plus de trois fois plus. Ceci est encore plus vrai pour les grandes écoles.

4. UN RAPPORT PROBLÉMATIQUE AVEC LE MONDE

Plutôt lent à changer, le système éducatif français est en un sens la victime de ses propres qualités. D'abord, les meilleurs élèves sont en effet remarquables et la partie la plus influente de la société — même quand elle critique le système — espère sans doute en même temps que ses enfants feront partie du groupe des meilleurs, et profiteront du système comme il est.

Ensuite, comme la formation des enseignants est surtout intellectuelle et « scientifique » il leur manque souvent une préparation pédagogique et même psychosociale qui pourrait leur permettre d'adapter plus vite — s'ils le voulaient — leur enseignement à de nouvelles fonctions dans un monde qui évolue parfois très vite. Du reste, le métier s'est beaucoup dévalorisé ces dernières années, et pour des raisons financières mais aussi psychologiques l'État a de plus en plus de difficulté à recruter des enseignants en nombre et en qualité suffisants pour le nombre accru d'élèves et d'étudiants.

HEBDOMADAIRE D'INFORMATION: 1er-7 MARS 1982

le point
PARIS·PROVINCE·PUBLIC·PRIVE
lycées: les succès au bac

9. Selon les experts, le style de l'enseignement français conserve un caractère déductif et abstrait qui ne stimule pas les capacités de raisonnement inductif des élèves et empêche le développement en France d'une authentique culture industrielle et d'entreprise.
Rapport Lesourne, décembre 1987

10. La culture que l'école dispense est légitime pour les adultes, qui l'apprécient, ou regrettent d'en avoir été privés. Pour les jeunes, il en va autrement. Au préjugé favorable dont bénéficiait autrefois l'enseignement, succède même parfois un préjugé défavorable : si on en parle à l'école, c'est sans doute périmé. Au professeur, en tout cas, d'apporter la preuve du contraire. L'enseignement a cessé d'aller de soi.
Esprit, novembre-décembre 1982

11. « Parler des rapports entre l'école et l'entreprise n'est plus un sujet tabou. Les esprits sont mûrs et c'est une évolution considérable. Il faut, désormais, concrétiser ce climat en mettant en place les passerelles entre ces deux mondes. Il faut, en particulier, prévoir un temps de formation de l'enseignant dans l'entreprise, ainsi que la venue des responsables d'entreprise dans les universités ou les lycées. Mais au-delà des passerelles, des lois et des obligations il faut créer un climat qui instaure un dialogue à tout moment. »
R. Monory, ministre de l'Education, in *Le Figaro,* 7 mai 1986

27

Il existe aussi un clivage traditionnel et souvent idéologique qui sépare les études générales, considérées comme nobles, des études professionnelles et techniques. On trouve ce point de vue souvent par exemple dans les conseils d'orientation (= réunion qui décide de l'avenir scolaire des élèves). On le trouve aussi dans le supérieur, où les universitaires préfèrent souvent la recherche fondamentale et théorique à une collaboration avec l'industrie sur des projets plus concrets. Cela aggrave aussi la difficulté à former les meilleurs pendant toute leur vie professionnelle − devenu une nécessité − et non simplement pendant leurs années d'études.

Pour conclure, une autre façon de voir la place clef qu'occupe le système éducatif pour les Français, c'est de se rappeler que chaque gouvernement et même chaque ministre de l'éducation semble avoir « sa » réforme à faire. Ce qui est le plus nouveau aujourd'hui, c'est une prise de conscience de plus en plus générale, peut-être sous l'effet de la crise économique qui dure depuis le milieu des années 1970, du manque de diversité et de souplesse dans le système éducatif français, de tout ce qui le sépare de la vie du pays. Y aura-t-il une nouvelle volonté de rapprochement, et pourra-t-on le faire sans perdre les qualités indiscutables du système actuel ?

---

12. « Il y a déjà une sélection à l'entrée du lycée. D'ailleurs, elle commence dès la maternelle : au CP, on sait déjà qui suivra des études longues et qui suivra des études courtes... C'est sûr qu'il faut une sélection, mais il faut aussi que tout le monde ait les mêmes chances : quand on fait une course, tout le monde doit partir sur la même ligne. Alors, qu'on donne le même enseignement à tout le monde, et qu'il y ait un concours à la fin...

On est en retard dans les programmes et on passe le bac à la fin de l'année ! Tant d'agitation [en décembre 1986] pour pas grand chose finalement. Devaquet [secrétaire d'Etat aux Universités] ne fait qu'augmenter ce qui existe déjà. 900 F de droits universitaires, qu'ext-ce que c'est ? De toute façon, les bourses existent ! La sélection par le travail, je suis pour : les universités sont de vraies poubelles ! »

Lettres à *Phosphore*, février 1987

---

14. Quand on demande [à des étudiants âgés de dix-sept à vingt-cinq ans] quels avantages présente la profession [d'enseignant], presque tous évoquent d'abord le temps libre (89 %) et surtout les vacances (76 %) ! Viennent ensuite les contacts (62 %) puis, à égalité mais loin derrière, la sécurité professionnelle et la transmission des connaissances (35 %). La stimulation intellectuelle n'est citée spontanément que par 22 % des jeunes.

Au chapitre des inconvénients, les conditions de travail arrivent en tête, citées par 71 % d'entre eux : salaires (44 %), surmenage (28 %) et mutations loin du domicile (14 %). La difficulté du contact avec des élèves difficiles et turbulents, les problèmes de discipline, le caractère routinier du travail et l'absence de promotion et d'évolution dans la carrière préoccupent un tiers des étudiants interrogés. La profession est plus considérée comme une vocation que comme un métier, et elle leur semble mal adaptée à la société.

Le Monde de l'Education, janvier 1968

---

15. Dans tous les pays développés, *le devenir du système éducatif est au centre des préoccupations de la société.*

Partout l'expansion quantitative des années 60 a donné désormais naissance à des *préoccupations qualitatives souvent communes.* Les thèmes les plus fréquents ? L'échec scolaire, la démocratisation, la qualité de l'enseignement, le recrutement et la formation des enseignants, la relation entre enseignement général et enseignement technique, l'accès à l'enseignement supérieur. Ce sont des thèmes qui sonnent familièrement à des oreilles françaises.

Néanmoins, *la nature précise des dysfonctionnements dépend des modalités de régulation propres à chaque système* : le Japon privilégie l'insertion dans la collectivité et l'entraînement au travail plus que la créativité ; le système américain, par l'intensité de sa décentralisation, réunit le meilleur et le pire ; le système allemand fadilite l'entrée dans la vie industrielle grâce au rôle central qu'y jouent les filières d'apprentissage ; la Suède fait de gros efforts pour réduire l'échec scolaire dans l'enseignement primaire mais limite l'accès à ses universités pour maintenir le niveau... Tous ces exemples sont à méditer, même si aucun n'est directement transposable et même si ceux qui paraissent les meilleurs sont fortement critiqués dans leurs pays.

Rapport Lesourne, décembre 1987

---

13. A propos de l'Université, quels changements vous paraîtraient les plus nécessaires ?*

Une meilleure information sur l'Université et ses filières	56 %	La suppression effective de toute sélection	25 %
La multiplication des bourses et des prêts	51 %	L'instauration d'universités vraiment autonomes	18 %
L'augmentation des places dans les filières les plus recherchées	37 %	L'instauration d'une certaine sélection à l'entrée de l'Université	15 %
La rénovation matérielle des universités	29 %	Ne se prononcent pas...........................	1 %

* Question posée à des étudiants. Total supérieur à 100 : plusieurs réponses possibles.   *L'Express*, 3 avril 1987

VOCABULAIRE (parties I et II)

I. Mettez le(s) mot(s) qui manquent.

1. A l'école primaire . . . enseigne toutes les matières.
2. Je suis arrivée en retard au . . . de maths, parce que le . . . de français était long et difficile.
3. Dans . . . où mon frère est . . . , le . . . est excellent : il comprend vraiment bien les problèmes des . . .
4. Les . . . des grandes écoles ont de la chance.
5. A 10 heures j'ai . . . de physique, et après je ne suis pas libre parce que je dois finir de rédiger ma . . .
6. Nous n'aimons pas les cours où le . . . est trop bas.

II. Finissez les phrases suivantes.

1. A 13 ans, la plupart des Français . . .
2. Je suis littéraire mais ma soeur est plutôt . . .
3. Je ne peux pas aller au cinéma ce soir parce que j'ai . . .
4. Quand je passerai mon bac . . .
5. Quand nous étions au collège nous croyions que les professeurs étaient des gens limités ; maintenant que nous sommes . . .
6. Comparé à la France, le système éducatif de mon pays . . .
7. Quand tu seras étudiant . . .

III. Trouvez les questions auxquelles ces phrases sont les réponses.

1. Cela dépend si on est bon élève ou non.
2. Absolument pas. C'est beaucoup trop difficile !
3. C'est parce qu'on est admis aux grandes écoles sur concours.
4. Oui, parce qu'un seul examen à la fin de l'année, c'est dangereux.
5. L'année dernière c'était les sciences économiques, mais j'ai décidé de changer pour l'histoire.

IV. Utilisez les termes suivants dans des phrases qui montrent clairement la différence de sens :

1. éducation/formation
2. examen/concours
3. cours/séminaire
4. université/grande école
5. enseigner/apprendre

V. Dites si vous êtes d'accord ou non, en expliquant pourquoi. (Peut être aussi le sujet d'un débat ou d'une composition.)

1. La sélection est un élément essentiel de tout système éducatif.
2. Il vaut mieux un enseignement secondaire assez facile et un enseignement supérieur assez difficile, que le contraire.
3. Les mathématiques sont une bonne matière pour juger l'intelligence d'un élève.
4. Les grandes écoles sont anti-démocratiques parce qu'elles favorisent certains et créent une élite.
5. Dans mon pays, il n'y a pas vraiment l'équivalent des grandes écoles françaises.

VI. Travail écrit. Un ami français vient passer un mois chez vous, et ira au lycée ou à l'université avec vous. Vous lui écrivez pour lui donner une idée de ce qu'il va trouver. Utilisez les termes suivants : cours, exposé, grandes écoles, matière, niveau secondaire, baccalauréat, contrôles.

THÈMES DE RÉFLEXION (partie III)

I. Dites si ces déclarations vous paraissent vraies ou fausses, et pourquoi. (Elles peuvent aussi être le sujet de débats ou de compositions.)

1. La collaboration entre l'université et l'industrie est meilleure pour l'industrie que pour l'université.
2. Le système éducatif français est bon parce qu'il est centralisé.
3. Le professeur idéal enseigne sa matière seulement, parce qu'il sait qu'il ne pourra jamais faire vraiment partie du monde des jeunes.
4. Les professeurs ont l'estime des élèves et de leurs parents ; c'est pourquoi ils ne sont pas toujours bien payés.
5. L'enseignement privé est meilleur que l'enseignement public.
6. Une société à l'école qu'elle mérite.

II. Travail écrit.

A. Vous êtes spécialiste du système éducatif français, et on vous demande d'écrire :
1. Un grand discours pour le ministère de l'éducation (tout va assez bien) ; ou
2. Un grand rapport pour l'opposition (tout va assez mal).

B. Vous décrivez à un ami français la situation actuelle du système éducatif dans votre pays. (Voir éventuellement l'extrait n° 15).

Faites-en un résumé en 100 mots environ, en utilisant les mots suivants : <u>niveau</u>, <u>orientation</u>, <u>concours</u>, <u>élite</u>, <u>stratégies scolaires</u>, <u>enseignants</u>, <u>Etat</u>, <u>redoublements</u>, <u>formation</u>, <u>bac C</u>.

LES UNS ET LES AUTRES

un seul ; peu/beaucoup de

- « il n'y a qu'<u>un seul</u> endroit où l'on commande des masses comme la Grande Armée »*
- « <u>peu</u> d'élèves sont admis aux grandes écoles »
- « elles forment en même temps <u>beaucoup</u> de futurs hommes politiques »
- « <u>beaucoup de</u> parents cherchent à assurer un maximum de chances »

tout (adj.), l'ensemble / la partie, faire partie de

- « le prestige de leur formation ... pendant <u>toute</u> leur carrière »
- « pendant <u>toute</u> la scolarité le nombre de redoublements est élevé »
- « 75% de réussites au bac C contre 68% pour <u>l'ensemble</u> des autres bacs »
- « <u>la partie</u> la plus influente de la société estime que ses enfants <u>feront partie du</u> groupe des meilleurs »

tous (pronom), tout (adj.)/chaque + nom

NB. Distinguer entre <u>tous</u> (adj.) et <u>tous</u> (pronom — le « s » se prononce). Noter que le pronom de chaque s'écrit « chacun ».

- « l'égalité de traitement pour <u>tous</u> »
- « que <u>tous</u> les bacheliers doivent pouvoir s'inscrire à l'université »
- « <u>chaque</u> ministre de l'éducation a 'sa' réforme à faire »

la plupart + verbe au pluriel ; certains ... /d'autres...

- « <u>la plupart</u> préparent un diplôme ou un concours »
- « <u>certains</u> considèrent cette centralisation comme une garantie... <u>d'autres</u> y voient une source de rigidité »
- « <u>certains</u> essaient de mettre leur enfant dans un meilleur lycée »

tout le monde + verbe au singulier/ceux qui + verbe au pluriel

- « <u>ceux qui</u> réussissent ont une très bonne formation... mais <u>tout le monde</u> ne réussit pas »

un grand, certain, nombre de = de nombreux = nombreux sont ceux qui

- « <u>un assez grand nombre de</u> jeunes quittent l'école à seize ans »
- « <u>de nombreux</u> Français estiment que tous les bacheliers doivent pouvoir s'inscrire à l'université »
- « <u>nombreux sont ceux qui</u> affirment que le niveau baisse »
- « <u>un certain nombre d'autres</u> 'stratégies scolaires' »

le taux = le pourcentage = % (on dit « pour cent »)

- « <u>le pourcentage</u> de réussite au bac C est plus élevé qu'aux autres bacs »
- « malgré <u>le taux</u> d'échec élevé (50%) en première année d'université »

changer de N%

- « le nombre de bacheliers a augmenté <u>de 30%</u> entre 1970 et 1980 »

N sur N

- « <u>sur cent</u> élèves <u>trente</u> seulement arriveront en terminale et <u>deux sur trois</u> seulement de ceux-ci réussiront leur bac du premier coup »

NOTER aussi les approximations : presque, environ

- « 85% <u>environ</u> des élèves sont dans l'enseignement public »
- « l'école libre est <u>presque</u> toujours (98%) religieuse »

EXERCICES

I. Utilisez les termes et expressions suivants à propos de la sélection scolaire.

beaucoup de
tous (pronom)
certains ... d'autres ...
de nombreux ...
le pourcentage

II. Mettez le(s) mot(s) qui manquent.

1. ... critiquent le clivage entre l'université et l'industrie.
2. De ... jeunes quittent l'école à seize ans.
3. Le ... d'échec est élevé en première année d'université.
4. La plupart ... étudiants préparent un diplôme ou un concours.
5. ... élèves sont admis aux classes préparatoires.

III. Selon ce que vous savez du système éducatif français, corrigez ces phrases avec une expression des « Uns et des Autres ». Attention au nombre du verbe (singulier/pluriel).

ex. <u>Tout le monde</u> réussit au baccalauréat.
→ Beaucoup (deux sur trois, 85%) réussissent au baccalauréat.

1. Les grandes écoles forment <u>tous les</u> chefs d'entreprise.
2. <u>Chaque</u> élève présente le baccalauréat.
3. <u>Peu</u> d'élèves restent à l'école après seize ans.
4. <u>Toute la</u> société est contente du système éducatif.
5. <u>L'ensemble</u> des lycéens échouent au bac C.
6. <u>Tout le monde</u> préfère l'école publique en France.

IV. Terminez les phrases suivantes selon le texte de présentation.

1. La plupart des étudiants...
2. Deux élèves sur trois...
3. Tout le monde ne ...
4. Le nombre de bacheliers a augmenté ...
5. En France, ceux qui...

V. Voici des réponses de jeunes dans l'enseignement supérieur à un sondage d'opinion. Vous les commenterez en 100 mots environ, et en utilisant les termes et expressions suivants ; <u>un certain nombre</u>, <u>peu</u>, <u>nombreux</u>, <u>le pourcentage de ceux qui ...</u>, <u>N sur N</u>, <u>la plupart</u>, <u>chacune</u>, <u>environ</u> (ou presque).

	Ensemble %	Grandes Ecoles %
« Réussir, pour vous, est-ce avant tout... »		
— Etre heureux en famille	33	19
— Créer quelque chose de durable	31	30
— Accéder à un haut niveau de responsabilité	15	32
— Avoir du temps libre	12	13
— Gagner beaucoup d'argent	5	3
— Autre et ne se prononcent pas	4	3
« Avez-vous de chacune des institutions suivantes de la société française une opinion positive ou négative ? »		
La famille :		
— Opinion positive	85	94
— Opinion négative	10	4
— Ne se prononce pas	5	2
Les grandes écoles :		
— Opinion positive	70	92
— Opinion négative	19	5
— Ne se prononce pas	11	3
Les partis politiques :		
— Opinion positive	21	19
— Opinion négative	72	76
— Ne se prononce pas	7	5

Le Monde Campus, 6 mars 1986

3. L'ESPACE FRANÇAIS

I. Quelques caractéristiques

La France a une <u>superficie moyenne</u>, et <u>une densité de population relativement faible</u> par rapport aux autres pays du Marché commun, par exemple.

Elle a <u>un sol</u> très riche, et possède la moitié de la terre arable (= cultivable) d'Europe, mais <u>son sous-sol</u> est pauvre en ressources minérales et pétrolières, ce qui l'a mise dans une situation de dépendance énergétique.

Enfin, à cause de sa forme on compare souvent la France à <u>un hexagone</u>. Pendant longtemps, c'était une comparaison favorable, qui signifiait symétrie, équilibre et élégance ; plus récemment, l'hexagone est devenu le symbole d'une attitude un peu fermée et tournée sur soi-même plutôt que vers l'extérieur.

LE RELIEF DE LA FRANCE

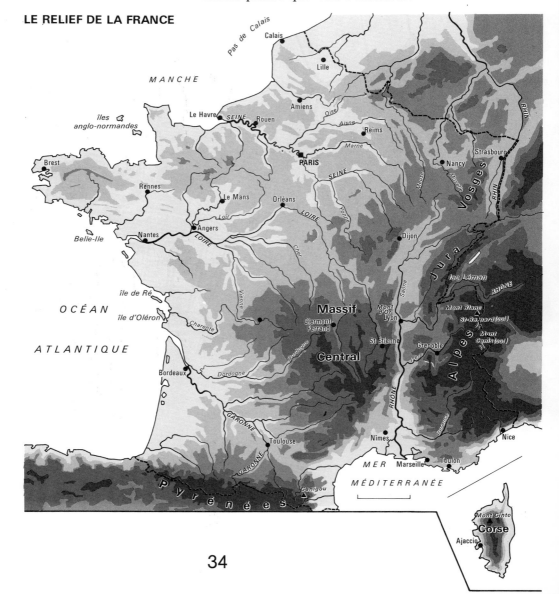

34

II. Divisions, dissymétries, déséquilibres

Bien entendu, l'espace français n'est pas uniforme ; nous citerons ici trois des différences les plus caractéristiques.

1. PARIS ET LA PROVINCE

Il s'agit du fort contraste entre la région parisienne, centre historique du pouvoir en France, et la province, qui a longtemps souffert d'un certain sous-développement, en particulier dans des régions agricoles. En effet, Paris est souvent considéré comme <u>une</u> « <u>hypercapitale</u> ».

**Plan du RER
(Réseau Express
Régional. Paris).**

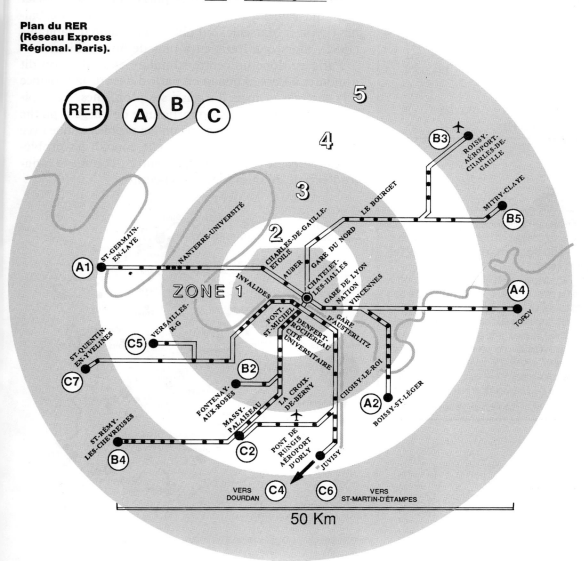

Pour chacun des points mentionnés, dites si, à Paris, cela va plutôt bien ou plutôt mal ?			
	Plutôt bien	Plutôt mal	Sans réponse
Conditions de circulation	19%	74%	7%
Propreté des rues et des trottoirs	40	59	1
Bruit	39	60	1
Emploi	20	65	15
Sécurité des personnes et des biens	22	72	6
Présence des travailleurs immigrés	40	48	12
Montant des impôts locaux	42	44	14
Rapports avec l'administration locale	49	28	23
Aide sociale	36	23	41
Possibilités de logement	12	78	10
Animation de la ville (sportive, culturelle, commerciale)	68	23	9

L'Express, 4 mars 1983

Paris est en même temps le centre de :
- la vie politique et administrative ;
- le commerce et les affaires, grâce à une grande concentration de sociétés et de banques ;
- la vie intellectuelle et culturelle, avec de grandes universités et des centres de recherche, les musées les plus importants, la vie théâtrale, etc. ;
- la vie touristique.

Paris est aussi au centre du réseau de transports, selon une structure en étoile, qui le lie aux plus grandes villes de province et aux plus grands ports. Il faut se rappeler aussi que seulement deux autres agglomérations urbaines (Lyon et Marseille) ont plus d'un million d'habitants (1982), alors que Paris en a plus de huit millions.

Paris est donc un centre stimulant et vital — on dit « monter à Paris » quand on parle d'aller de la province à la capitale — mais il a aussi ses problèmes. La capitale reçoit une part disproportionnée de l'argent public et son pouvoir même crée un contact problématique avec le reste du pays. D'autre part, elle connaît les problèmes urbains de tous les grands centres, comme le montre l'extrait de questionnaire ci-contre.

1. De moins en moins nombreuse, la population de Paris devient de plus en plus cosmopolite et bourgeoise (et) compte à présent près de 50 % de personnes seules...

Si Paris se vide — et, depuis peu, les communes de la proche banlieue — c'est essentiellement parce que les provinciaux qui retournent « au pays » sont plus nombreux que ceux qui viennent tenter leur chance au pied de la tour Eiffel. La politique de décentralisation ne pourra qu'accentuer ce mouvement... « Paris et le désert français » — cette formule des années 50 — appartient à présent à l'histoire, le rééquilibrage de la France est en cours.

Le Monde, 15 novembre 1983

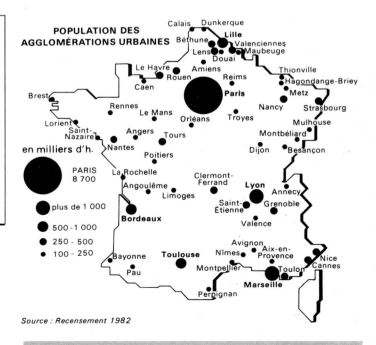

POPULATION DES AGGLOMÉRATIONS URBAINES

en milliers d'h.

PARIS 8 700

● plus de 1 000
● 500 - 1 000
● 250 - 500
● 100 - 250

Source : Recensement 1982

La réponse officielle à cette situation de déséquilibre a été l'aménagement du territoire, une politique mise en œuvre surtout à partir des années 1960 et qui cherchait par exemple à créer et à renforcer des pôles de développement autres que Paris, les « métropoles d'équilibre » (Lille, Nancy, Strasbourg, Lyon, Marseille, Toulouse, Bordeaux, Nantes). Et ensuite dans les années 1970 à améliorer le cadre de vie dans les villes petites et moyennes, et à créer des « villes nouvelles » (voir plus bas).

Échelle :

0   200 Km

Une réponse plus culturelle des années 1970 a été les divers mouvements régionalistes, en particulier dans des régions périphériques (la Corse, la Bretagne, l'Alsace) et l'Occitanie (= une grande partie du Midi). Réaction à la centralisation politique et administrative de Paris, ces mouvements ont revendiqué le droit à la diversité culturelle, à des valeurs anciennes, à ce qui est indigène à leur région : « volem viure al païs » (= nous voulons vivre dans notre pays, en occitan). Certains ont même parlé de « colonisation intérieure » et ont eu recours à la violence.

Enfin, pour parler des modifications profondes dans la province des années 80, *L'Express* a identifié « 12 villes pour vivre mieux », avec comme critères de la vitalité économique, l'emploi, la qualité de la vie (logement, sécurité, loisirs) : « Les nouveaux provinciaux ont la conviction d'avoir fait un choix éclairé : celui de l'équilibre. Equilibre entre la réussite professionnelle, la famille et les loisirs. Les trois valeurs clefs des Français, aujourd'hui. A Paris, on court désespérément derrière les trois, pour, au bout du compte, en sacrifier deux. Le pari des grandes villes de province, c'est de les concilier. »

(26 septembre 1986).

2. Curieusement, la région devance le département lorsqu'on demande aux Français quels sont les lieux auxquels ils ont le sentiment d'appartenir avant tout. La hiérarchie qu'ils établissent spontanément de ces lieux est instructive : ils mettent en tête soit la France, soit leur ville ou leur commune. Les Français ont bien deux patries : leur village et la France. Mais entre les deux existe un échelon intermédiaire, plus proche que la nation, moins étroit que la commune. Et cet espace entre deux, c'est la région plus que le département.

Le Monde Dimanche, 9 février 1986

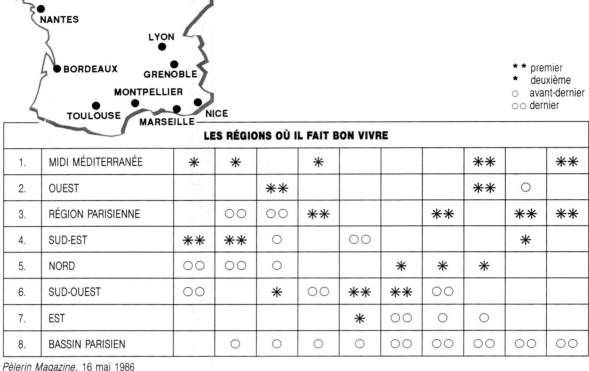

	premier
**	premier
*	deuxième
○	avant-dernier
○○	dernier

	LES RÉGIONS OÙ IL FAIT BON VIVRE									
1.	MIDI MÉDITERRANÉE	*	*		*			**		**
2.	OUEST			**				**	○	
3.	RÉGION PARISIENNE		○○	○○	**			**		**	**
4.	SUD-EST	**	**	○		○○				*
5.	NORD	○○	○○	○			*	*	*	
6.	SUD-OUEST	○○		*	○○	**	**	○○	
7.	EST				*	○○	○	○	
8.	BASSIN PARISIEN		○	○	○	○	○○	○○	○○	○○	○○

Pèlerin Magazine, 16 mai 1986

3. Aujourd'hui, le Nord et la Lorraine sont plongés dans la crise, paralysés par les fermetures d'usines, frappés par des vagues de licenciements sans précédent. Sinistrés. La vieille industrie du XIXᵉ siècle, celle du moins qui n'a pas trouvé les voies de la modernisation, semble condamnée. Tournez-vous vers le sud de l'Hexagone : le spectacle est étonnamment différent. De Menton à Bayonne l'espoir existe, les signes d'un avenir nouveau se multiplient. Fécondées par la matière grise, cette énergie de la troisième révolution industrielle, les régions du sud de la France semblent promises à un nouvel essor.

L'Express, 5 octobre 1984

2. LA FRANCE « COUPÉE EN DEUX »

On utilise assez souvent cette expression pour évoquer la situation politique, en particulier l'opposition gauche/droite, mais elle a servi aussi pendant longtemps pour caractériser le contraste entre l'Est et l'Ouest. Ainsi, si on traçait une ligne du Havre à Marseille , c'est-à-dire plus ou moins le long de la Seine et du Rhône, on séparait en effet deux France assez différentes. A l'Est se trouvait les matières premières et l'industrie lourde. C'était aussi la France des grands centres urbains et qui était en contact avec les richesses de l'Europe. A l'Ouest, en revanche, il y avait une économie tournée beaucoup plus vers l'agriculture et le commerce maritime, avec une urbanisation et une industrialisation moins fortes, et une capacité de production moins moderne.

Depuis quelques années, avec la diminution du secteur agricole, le déclin des industries traditionnelles et l'expansion du secteur des services, cette situation est assez changée, dans le sens d'un contraste Nord/Sud et ancien/moderne. Beaucoup d'entreprises modernes n'ont pas besoin de se trouver près des sources d'énergie, et

elles semblent trouver dans le Midi (= le Sud) non seulement le soleil et des villes agréables mais aussi une population ayant fait de bonnes études, des rapports sociaux plus souples, et des universités plus prêtes à travailler en collaboration avec elles.

3. VILLE/CAMPAGNE/BANLIEUE

Sous l'effet de l'industrialisation, la campagne française se dépeuple (= perd sa population) depuis le XIXe siècle. Ce mouvement d'urbanisation que l'on a appelé l'exode rural s'est beaucoup accentué entre 1954 et 1975 : ainsi, la population urbaine est passée de 59% des Français en 1954 à 75% environ à la fin des années 1970 (urbaine = agglomération de population qui compte plus de 2 000 habitants). Mais déjà au début des années 1970 on a remarqué que les centres-villes commençaient à perdre des habitants au profit des banlieues (= les espaces en périphérie des grandes villes), que l'automobile en particulier rendait plus proches des centres. Ainsi, Paris « intra-muros » (= la ville même) a perdu presque 20% de sa population en quinze ans, et presque tou-

4. Les Franciliens ont plutôt moins la nostalgie de la campagne que le reste de la France. La vie à la campagne est beaucoup plus satisfaisante qu'à la ville pour 53% des habitants d'Ile-de-France (la région parisienne) alors que 76% des Français pensent ainsi. Encore plus net : 51% des Parisiens, la majorité, pensent que la vie est plus satisfaisante en ville... En 1975, 75% des Parisiens préféraient la campagne. Ils n'étaient plus que 58% en 1980 et, pour finir, 48% en 1985.

C'est en Ile-de-France que pénètrent le mieux les valeurs les plus en avance : autonomie, rejet des relations hiérarchiques au profit des relations informelles, ouverture aux autres, épanouissement personnel et hédonisme plutôt que sécurité et épargne, abandon des grandes entités (Eglise, partis, nation...) pour les petites communautés d'intérêt.

Le Monde, 12 avril 1986

tes les villes de plus de 200 000 habitants ont connu une situation semblable.

Quels sont les avantages de la vie en banlieue ?	Quels sont les inconvénients de la vie en banlieue ?
Le calme 59%	Temps et argents perdus en transport 44%
On peut avoir un jardin 48	Eloignement des commerces, des équipements et des services 32
La proximité de la campagne . 34	
Il y a moins de pollution, l'air est meilleur 32	Manque de distractions, de spectacles 28
On peut avoir un logement plus vaste 20	Difficulté de trouver un travail sur place 27
Le prix moins élevé des logements 18	Problèmes de violence et d'insécurité 15
Les gens se connaissent mieux 17	L'isolement : on reçoit plus rarement des visites 14
La possibilité de faire plus de sport 10	Les gens se connaissent moins 9
Aucun avantage 6	La laideur, la tristesse 7
	Aucun inconvénient 16

L'Express, 13 octobre 1979

La tendance la plus récente semble une véritable installation des citadins à la campagne proche des grandes agglomérations urbaines. On a même parlé de « rurbanisation » pour désigner ce phénomène, et d'« invasion » de la campagne par la ville. Il faut en tout cas remarquer que la France reste ainsi, après avoir été un pays essentiellement agricole — et après plusieurs changements — un des pays urbanisés le plus rural d'Europe, « rural » désignant une population vivant à la campagne mais pas de l'agriculture. III. Vivre dans l'espace français

III. Vivre dans l'espace français

Deux phénomènes majeurs de l'après-guerre — la croissance démographique et l'urbanisation rapide — ont créé une très forte demande en logement que la France a eu beaucoup de mal à satisfaire. En effet, il y a eu un retard dans la construction dû à la destruction des guerres mais aussi à des structures insuffisantes dans l'industrie du bâtiment et à des politiques de logement gouvernementales — en particulier le blocage des loyers — qui protégeaient les locataires et décourageaient l'investissement dans l'immobilier. Même aujourd'hui on peut estimer

5. Au départ, on a vu grand. On a imaginé une belle entrée, une grande salle de séjour, une chambre pour chacun des enfants, un bureau où s'isoler pour travailler, une vraie cuisine où on pourra dîner entre soi. Et puis un parking, un vide-ordures, un ascenseur. Le tout dans un quartier agréable, bien desservi par les transports en commun, école et lycée pour les enfants, jardin public, rues commerçantes, calme et soleil au cœur de la ville, mais sans le bruit de la ville...

Le Monde, 24 mai 1986.

Massy : un grand ensemble des années 60 dans la région parisienne.

Le nouveau Créteil, dans la région parisienne.

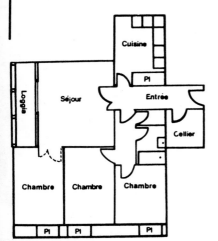
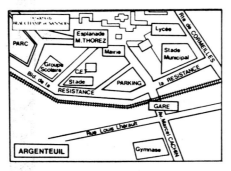

que le nombre et la qualité des logements français restent un problème chronique (mais moins grave qu'autrefois).

On peut être locataire ou propriétaire (50% de chaque environ en France), et il y a plusieurs types de logement en France :

- **la copropriété** : un immeuble est la propriété de plusieurs personnes séparément, qui y habitent ou non (les « copropriétaires ») ;

- l'**« H.L.M. »** (= habitation à loyer modéré) : des immeubles que l'Etat a aidé à construire, surtout dans les années 1950 et 1960, pour tenter de résoudre le problème de logement, souvent synonymes aujourd'hui de logement bon marché et peu agréable, on y habite (12 millions de Français) parce qu'on n'a pas trouvé (ou ne peut pas payer) mieux ;

- les **« grands ensembles »** (= souvent « cités ou villes-dortoirs ») : des espaces développés à la périphérie des grandes villes, en particulier à Paris, avec de très grands immeubles et peu d'espaces verts — synonyme aujourd'hui des restes d'une politique mal conçue, mais dans beaucoup de cas moins désagréables que leur réputation ;

- les **villes nouvelles** : des villes construites entièrement neuves à une heure maximum d'une grande ville (en particulier autour de Paris : Cergy-Pontoise, Evry, Marne-la-Vallée, St. Quentin-en-Yvelines, etc.), souvent avec une allure très moderne ou expérimentale — elles sont beaucoup mieux équipées que les grands ensembles, mais une véritable vie, propre à l'endroit, naît lentement...

Il faut bien remarquer enfin que la très grande majorité des Français (environ trois sur quatre (rêvent d'habiter **une maison particulière** (= individuelle) dont ils seraient propriétaires. En effet, la maison individuelle — on dit aussi « pavillon », mais avec une nuance de « petit bourgeois » — semble correspondre à un désir d'autonomie et d'intimité très développé chez les Français.

A ce sujet, beaucoup d'étrangers sont frappés de voir les murs et autres barrières qui entourent le plus sou-

6. *Au cours des dix dernières années, l'effort de construction a donné aussi aux Français — encouragés fortement par l'État, sinon contraints — l'occasion de redevenir propriétaires : plus de la moitié sont aujourd'hui propriétaires de leur résidence principale. Un développement qui est allé de pair avec celui de l'habitat individuel. Ce maintien de la petite propriété est synonyme d'indépendance dans les représentations collectives, mais l'est sans doute moins dans la pratique : il lie les gens à leur résidence et il rend aujourd'hui plus difficiles encore les départs en cas de fermeture d'entreprises.*
Le Monde, 15 novembre 1983

7. *« On dit que c'est une ville sans histoire [Evry, une ville nouvelle] ? s'interroge Dominique Planquette. C'est sûrement vrai. Mais c'est nous qui la faisons. Ma voisine participe avec cinq cents autres bénévoles à la grande fête du Lac. Elle m'a dit : « C'est fabuleux, j'ai l'impression de créer la première histoire du lac. » Et c'est vrai. « C'est fantastique de construire sa ville. »*
Le Monde, 6 juin 1986

BEVERLY PARK
AU PLESSIS-TRÉVISE

OUVERTURE MAISONS MODELES

Bois St Martin

Centre ville

KAUFMAN & BROAD AU PLESSIS-TRÉVISE.

Prêt conventionné **10,5 %**

Vivez en toute liberté dans votre maison signée Kaufman & Broad.

Un choix de quatre modèles de maisons individuelles particulièrement bien agencées.

Laissez-vous séduire par un site boisé, avec toutes les facilités à proximité : écoles, commerces, tennis, golf ; et le boulevard périphérique à moins de 17 km !

Laissez-vous tenter par les conditions financières privilégiées de Kaufman & Broad avec un prêt conventionné à 10,50% seulement. Un charme de plus !

**Beverly Park
Avenue de la Maréchale
94420 Le Plessis-Trévise
Tél. : 45.94.39.29**

Bureau de vente ouvert les lundi, jeudi, vendredi, samedi, dimanche et jours fériés de 11 heures à 20 heures.

Kaufman & Broad

* Taux moyen prêt conventionné Société Générale 15 ans, 18 ans ou 20 ans constant ou progressif hors assurance.

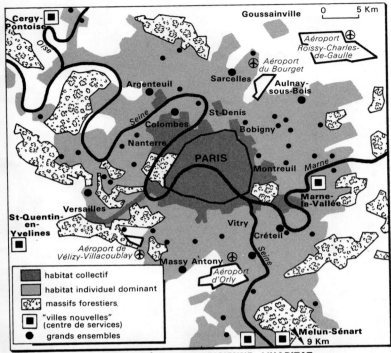

L'AGGLOMÉRATION PARISIENNE : L'HABITAT

Légende :
- habitat collectif
- habitat individuel dominant
- massifs forestiers
- "villes nouvelles" (centre de services)
- grands ensembles

vent une maison et son jardin, par le fait que même un appartement assez petit a une « entrée » pour marquer la transition entre l'extérieur et le foyer, et que les pièces d'un appartement donnent souvent sur un couloir (pour assurer leur indépendance, leur intimité) au lieu de communiquer. L'espace personnel français est bien gardé...

Enfin, dernière particularité de l'habitat français : la résidence secondaire. Il s'agit d'habitude d'une maison, située généralement en dehors de la ville, et dont souvent on a hérité (encore l'importance du passé rural des Français). On y va par exemple pour passer le week-end ou des vacances. 11% des Français possèdent une résidence secondaire, et le chiffre est encore plus élevé pour les Parisiens (20% environ).

A la fin 1986, les Français semblaient préférer à des maisons de campagnes isolées, des résidences secondaires siuées « près de certaines grandes villes, le long des lignes existantes ou futures du TGV (train à grande vitesse), près d'un golf, d'un rivage et même en plein Paris ! ». *Le Point*, 22 septembre 1986.

8. Incorrigibles propriétaires ! Les urbanistes de Marne-la-Vallée [une ville nouvelle] leur concoctent des espaces ouverts, où chacun peut déambuler au travers des allées et des résidences, où l'œil ne heurte nulle barrière intempestive – et quel est le premier souci des nouveaux arrivants, les meubles à peine installés ? Clôturer, encercler, barrer la perspective. Soustraire leur jardinet à la vue des voisins [...]

De quoi désespérer architectes et sociologues ou, plutôt, ramener sur terre ceux qui avaient cru pouvoir confondre ville nouvelle et nouvelle ville. Les habitants de Marne-la-Vallée ne sont ni des pionniers ni des aventuriers de l'urbanisme de demain. Ils sont venus parce qu'ils en avaient « assez de payer un loyer pour rien » et parce que « acheter à Paris aurait coûté trop cher », ou parce qu'ils ont trouvé ici « un F4 [quatre pièces] au prix d'un deux pièces à Paris », ou – exception – « pour aller pêcher sur les bords de la Marne ».

Le Monde, 4 octobre 1986.

6. Incorrigibles propriétaires ! Les urbanistes de Marne-la-Vallée [une ville nouvelle] leur concoctent des espaces ouverts, où chacun peut déambuler au travers des allées et des résidences, où l'œil ne heurte nulle barrière intempestive — et quel est le premier souci des nouveaux arrivants, les meubles à peine installés ? Clôturer, encercler, barrer la perspective. Soustraire leur jardinet à la vue des voisins [...]

De quoi désespérer architectes et sociologues ou, plutôt, ramener sur terre ceux qui avaient cru pouvoir confondre ville nouvelle et nouvelle ville. Les habitants de Marne-la-Vallée ne sont ni des pionniers ni des aventuriers de l'urbanisme de demain. Ils sont venus parce qu'ils en avaient « assez de payer un loyer pour rien » et parce que « acheter à Paris aurait coûté trop cher », ou parce qu'ils ont trouvé ici « un F4 [quatre pièces] au prix d'un deux pièces à Paris », ou — exception — « pour aller pêcher sur les bords de la Marne ».

Le Monde, 4 octobre 1986.

VOCABULAIRE

I. Définissez les termes suivants, ou utilisez-les dans des phrases qui en montrent bien le sens.

1. résidence secondaire
2. hexagone
3. grand ensemble
4. immeuble
5. banlieue
6. H.L.M.
7. le Midi

II. Posez les questions auxquelles ces phrases sont des réponses.

1. Pour moi, c'est le Midi, mais d'autres préfèrent Paris.
2. C'est un mouvement pour défendre les valeurs locales et traditionnelles.
3. C'est parce que le sous-sol français n'est pas très riche.
4. Je le passe souvent dans ma maison de campagne (= résidence secondaire).
5. Les possibilités de logement et les conditions de circulation : le reste va mieux.

III. Faites des phrases complètes avec les élément suivants.

1. L'urbanisation a créé . . .
2. L'avantage d'une maison individuelle, c'est (que) . . .
3. Si j'allais en France, je voudrais surtout visiter . . . parce que . . .
4. villes nouvelles/grands ensembles
5. centres-villes/banlieue/campagne

N.B. Les exercices IV et V peuvent être faits à l'oral ou à l'écrit.

IV. Discussion

Quelles sont les caractéristiques principales de votre espace national ? Y a-t-il eu des changements importants depuis une génération ? Aimeriez-vous vivre ailleurs, et pourquoi ?

V. Jeux de rôles

1. Un Français vient vivre chez vous pendant un mois. Imaginez ses réactions à propos de votre maison et de votre ville. Comment répondez-vous ?
2. Vous essayez de vendre un appartement (ou une maison) situé(e) en centre-ville (ou en banlieue ou à la campagne). Développez des arguments pour convaincre quelqu'un de l'acheter. Un(e) camarade peut jouer le/la client(e) qui a d'autres priorités.

3. Vous êtes le maire de votre commune et vous essayez de convaincre le président-directeur général d'une entreprise de s'y installer. Quels arguments utilisez-vous, et que répond-il ? Consultez les extraits suivants et la publicité de la page 38.

Dans la fresque qu'il [le maire] dessine, Montpellier est une technopole spécialisée dans les hautes technologies, consommatrice de matière grise. Essentiellement dans les domaines de la santé, de l'agronomie méditerranéenne et tropicale, de l'informatique, de la robotique et de la communication. *« C'est, dit le maire, ce qui fait venir les gens du Nord ici. On s'est dit : que leur faut-il ? Le soleil, on l'a ; l'environnement de qualité on l'a — ici, c'est vierge par rapport à la Côte d'Azur ; la caution universitaire, on l'a aussi. Il ne manquait que la dimension culturelle, car c'était le désert. Maintenant, avec l'orchestre, le Festival de la danse, le Festival de la musique de Radio-France, on fait partie des quatre ou cinq villes culturelles de France. »*

Pourquoi avoir choisi de s'installer à Montpellier ? Il fallait un aéroport, un nœud de communication, des terrains, une université, une ville dans le vent. Les dirigeants de l'usine ajoutent : *« La DATAR nous a facilité la tâche en nous ''dissuadant'' de choisir toute la moitié Est de la France derrière une ligne Cherbourg-Marseille. L'important dans une implantation, c'est moins les primes versées que la confiance que nous avons cru pouvoir placer dans tous les gens qui nous ont fait des promesses. Elles ont toutes été tenues par nos interlocuteurs, quels qu'ils soient. » (Le Monde, 17/10/1986).*

PLUS OU MOINS : COMPARER ET DISTINGUER

comparer, distinguer, le contraste

- *« on compare souvent la France à un hexagone »*
- *« on peut distinguer entre un endroit et un autre »*
- *« le fort contraste entre Paris et la province »*

par rapport à (= en comparaison); alors que; plutôt

- *« par rapport aux autres pays du Marché commun » « tournée sur soi-même plutôt que vers l'extérieur »*
- *« la campagne est plus satisfaisante pour 53% des habitants d'Ile-de-France alors que 76% des Parisiens pensent ainsi »**

plus ≠ moins

- « une économie tournée beaucoup plus vers l'agriculture ; une industrialisation moins forte, et une capacité de production moins moderne »
- « un problème moins grave qu'autrefois

le plus ; le mieux

N.B. le superlatif (le plus, etc.) est suivi de de

- « trois des différences les plus importantes »
- « un réseau de transports qui le lie aux plus grandes villes de province »
- « où vit-on le mieux ? »

beaucoup/peu (de), grand/petit, riche/pauvre, majeur/moyen/faible

- « la France a une superficie moyenne et une densité de population relativement faible »
- « un sol très riche... un sous-sol pauvre en ressources »
- « logement bon marché et peu agréable »
- «deux phénomènes majeurs de l'après-guerre»
- « de très grands immeubles et peu d'espaces verts »
- « des quartiers résidentiels beaucoup mieux équipés que les grands ensembles »
- « améliorer le cadre de vie dans les villes petites et moyennes »

plus ou moins : environ, presque, à peu près assez, quelques, relativement

- « plus ou moins le long de la Seine et le Rhône »
- « 75% environ à la fin des années 1970 »
- « Paris a perdu presque 20% de sa population en quinze ans »
- * « à peu près le seul lieu à leur offrir cette possibilité »
- « une densité de population relativement faible »
- « depuis quelques années, le déclin des industries traditionnelles »
- « même un appartement assez petit a une entrée »

EXERCICES

I. Redites d'une autre façon les comparaisons suivantes en changeant les termes soulignés.

1. La province a longtemps souffert en comparaison avec Paris.
2. Il y a plus de soleil dans le Midi.
3. Les villes nouvelles sont beaucoup mieux équipées.

4. Le régionalisme des années 1970 était un phénomène plutôt culturel qu'administratif.

II. Refaites une phrase équivalente (avec le même sens) en remplaçant le terme souligné par son contraire (plus pour moins, etc.), puis en faisant les autres changements nécessaires.

1. La France a un sol très riche.
2. L'économie de l'Ouest de la France était tournée plus vers l'agriculture.
3. Beaucoup de gens pensent que c'est à la campagne qu'on vit le mieux.
4. Les Parisiens ont plus de résidences secondaires.
5. L'espace personnel semble avoir une importance majeure pour les Français.

III. Dans les phrases suivantes, remplacez l'approximation soulignée par une autre équivalente.

1. La France a une densité de population relativement faible.
2. Environ 75% de la population était urbaine à la fin des années 1970.
3. Paris a perdu presque 20% de sa population en quinze ans.
4. 50% environ des Français sont propriétaires de leur logement.
5. Les résidences secondaires se trouvent généralement en dehors de la ville.

IV. Complétez ces phrases.

1. Alors que le sol français est très riche ...
2. La France est un des pays ...
3. Par rapport à la province ...
4. Les banlieues sont devenues moins lointaines grâce ...
5. ... parce qu'à mon avis il n'y a pas assez d'intimité dans les grands ensembles.

V. Faites une phrase en comparant les deux termes.

1. Paris/province
2. maison particulière/appartement
3. banlieue/centre-ville
4. grand ensemble/ville nouvelle
5. locataire/propriétaire
6. Nord/Midi

50

VI. En utilisant le vocabulaire de la comparaison et de l'approximation (<u>environ</u>, <u>distinguer</u>, <u>moins</u>, <u>alors que</u>, <u>faible</u>, <u>quelques</u>), faites un commentaire des réponses suivantes.

Réponses de jeunes entre 17 et 35 ans :

Les jeunes aimeraient vivre à :	
Nice	23%
Montpellier	12%
Marseille	
Toulouse	8%
Bordeaux	
Toulon	6%
Lyon	5%
Nantes	4%
Strasbourg	
Saint-Etienne	3%
Rennes	
Brest	
Lille	2%
Le Havre	1%
Reims	

Si vous aviez la possibilité de choisir, décideriez-vous d'habiter :		
En couple	**42%**	
Seul	23%	
Avec des amis, à plusieurs	20%	
Chez vos parents	12%	
Sans opinion	3%	

Si vous aviez la possibilité de choisir, préféreriez-vous habiter :		
A la campagne	**36%**	59%
Dans une petite ville de province	**23%**	
Dans une grande ville de province	22%	
A Paris	12%	
En banlieue parisienne	6%	
Sans opinion	1%	

Parmi les équipements suivants, quels sont ceux qui vous paraissent à vous personnellement les plus nécessaires pour bien vivre dans la ville ? (*)	
Cinéma	**66%**
Espaces verts	65%
Magasins, centre commercial	55%
Equipements sportifs	54%
Cafés, bars	28%
M.J.C. ou équipement de même type	27%
Salle de concerts	20%
Théâtre	12%

Jusqu'à combien de temps accepteriez-vous de mettre chaque jour pour vous rendre sur votre lieu de travail (trajet simple) ?		
15 minutes et moins	**21%**	70%
16 à 30 minutes	**49%**	
31 minutes à un heure	27%	
Plus d'une heure	23%	
Sans opinion	1%	

Quels sont, d'après vous, les principaux défauts de votre quartier ? (*)		
Le manque de lieux de rencontre pour les jeunes	**43%**	
Le bruit	27%	
Le manque de commerce	22%	
La saleté	19%	
Le manque d'espaces verts	19%	
Les bâtiments ne sont pas beaux	16%	
L'insécurité	13%	
Trop de voitures	11%	
Trop d'immigrés	11%	

Phosphore, octobre 1984.

4. TRAVAIL ET LOISIRS

I. Travailler

En général, on travaille pour gagner de l'argent ou pour gagner sa vie. On cherche donc un emploi (= un poste) dans l'espoir d'exercer un métier, souvent en lisant les petites annonces (offres d'emploi) dans les journaux. On espère aussi qu'il y aura des débouchés (= possibilités d'emploi) pour la formation ou l'expérience que l'on a, et dans le secteur d'activité que l'on préfère.

Quand on a une situation (= occupe un poste) on ne veut pas la (le) perdre (= être licencié, le licenciement), pour éviter d'être chômeur (au chômage), même si les chômeurs touchent des allocations (financières) pour aider. Pour protéger leurs droits et défendre leurs intérêts, beaucoup de travailleurs comptent sur les syndicats (= adhérer à un syndicat, être syndiqué) qui expriment leurs revendications (revendiquer), et font quelquefois grève (= être, se mettre, en grève).

Il y a aussi d'autres moments quand on ne travaille pas :

- pendant ses études (= avant d'entrer dans la vie active) et quand on prend sa retraite ;

- quand on a un congé, par exemple de maternité ou de maladie ;

- et pendant les vacances (= les congés payés).

II. La Population active

Ceux qui travaillent (= la population active) représentent 43% de la population totale ; 58% sont des hommes, 42% des femmes. On appelle « inactifs » ceux qui n'ont pas un travail rémunéré (= aussi « femmes au foyer » dans le cas des femmes).

Pendant la plupart du vingtième siècle, la proportion d'actifs a diminué, mais depuis vingt ans environ elle remonte. La baisse était due à la baisse démographique (surtout les guerres), à une scolarité et une espérance de vie plus longues, et à une diminution de l'activité féminine. La nouvelle hausse s'explique par l'arrivée de la

---

1. Travailler, c'est...

- gagner sa vie 69,7%
- s'occuper 59,3
- prendre plaisir à son métier 57,7
- apprendre 57,6
- acquérir un savoir-faire 55,4
- se réaliser pleinement 51,3
- retrouver des copains 40,5
- être coupé des copains 20,2
- être un numéro, un robot 14,3
- s'épuiser physiquement 12,2
- enrichir un patron 11,5
- attendre, s'ennuyer 6,7
- s'épuiser mentalement 7,9
- produire pour la France 4,7

C.C.A.

---

2. Voulez-vous dire, à l'aide de cette échelle de 1 a 10, dans quelle mesure vous êtes satisfait(e) sur les différents point suivants (1 signifie que vous n'êtes absolument pas satisfait et 10 signifie que vous êtes tout à fait satisfait).

Les relations avec les collègues 7,8
Les horaires 7,4
L'intérêt de votre travail 7,7
Votre rémunération 5,9
L'utilisation de vos compétences 6,9
La sécurité de votre emploi 7,0
Le degré d'initiative qui vous est laissé 7,1
La compétence de votre supérieur hiérarchique 6,9
L'utilité de ce que vous faites 8,1

L'Express, 19 novembre 1982

---

3. « Le travail des femmes, dont personne ne conteste la légitimité, ni la légalité..., n'en demeure pas moins facteur de chômage et de dénatalité. Plutôt que d'envoyer les femmes au travail, mieux vaut les envoyer au lit. »

Débat parlementaire, décembre 1979

Les femmes semblent aujourd'hui attendre d'un emploi non seulement une amélioration du niveau de vie de leur famille, mais aussi une sécurité contre les risques de la vie de couple : veuvage, divorce ou chômage du mari.

Le Figaro, 25 octobre 1985

génération nombreuse du « baby boom », par l'immigration, et surtout par l'augmentation du travail des femmes. En effet, si les femmes représentent aujourd'hui 42% de la population active, en 1962 elles n'en représentaient que 36% (mais 42% en 1901 et 52% en 1921, même si ce n'était pas dans les mêmes emplois). Entre 25 et 54 ans, deux femmes sur trois et trois hommes sur quatre travaillent.

III. La Durée du travail se modifie

Il y a plusieurs façons de calculer la durée du travail, par exemple la durée hebdomadaire (= par semaine) légale, la durée effective (= réelle), le travail légal plus le travail « au noir » (non déclaré), le temps de travail plus le temps qu'il faut pour y aller et revenir, les heures annuelles passées au travail, le travail en fraction d'une vie, etc. Selon le critère que l'on choisit, la France peut paraître plus ou moins distincte.

Durée hebdomadaire en heures (1981)		Durée annuelle moyenne (ouvriers à temps complet, 1982)	
Royaume-Uni	42,6	Japon	2 100
Japon	41,0	Suisse	1 910
Irlande	41,0	Etats-Unis	1 870
Pays-Bas	40,8	Canada	1 860
Allemagne (RFA)	40,5	Irlande	1 820
France	40,3	Royaume-Uni	1 750
Etats-Unis	40,1	Autriche	1 740
Canada	38,5	Allemagne	1 690
Italie	38,1	France	1 650
Belgique	33,5	Pays-Bas	1 640
		Italie	1 630
B.I.T.		Belgique	1 510

La durée légale du travail a été fixée à 40 heures par semaine en 1936, puis à 39 heures en 1982. Mais le changement en heures effectives est beaucoup plus frappante : ainsi, on est passé de plus de 45 heures en 1969 à 41 en 1980. (Ces changements semblent dus à une meilleure productivité, mais aussi à un chômage partiel.) Cependant, le temps passé entre la maison et le lieu de travail a augmenté, et on estime que le temps de transports plus les travaux de maison représentent — avec beaucoup de variations — à peu près une heure par jour. De plus,

4. « Le classement des métiers heureux »

1. Chirurgien
2. Profess. d'université
3. Notaire
4. Diplomate
5. Haut fonctionnaire
6. Dentiste
7. Avocat
8. Pharmacien
9. Magistrat
10. Médecin généraliste
11. Expert-comptable
12. Vétérinaire
13. Publicitaire
14. Chercheur scientifique
15. Gros exploitant agricole
16. Psychologue
17. Antiquaire
18. Assureur
19. Journaliste
20. Directeur d'usine
21. Ebéniste
22. Cadre travaillant à l'étranger
23. Géomètre expert
24. Libraire
25. Professeur de tennis (jusqu'à 50)

Critères (à peu près par ordre d'importance descendante) : sécurité de l'emploi, revenus élevés, bonnes conditions de travail, souplesse des horaires, travail intéressant, liberté et initiative, prestige, contacts humains, participation aux décisions, « peu de travail », possibilité de progresser rapidement.

L'Express, 28 février 1981

LE FIGARO magazine

FIGARO DU VENDREDI 16 MAI 1986

LES FRANÇAIS SONT-ILS PARESSEUX ?

Notre enquête sur la vérité du temps de travail en France

Notre sommaire est en page 85

ARTS : LA GALERIE DES ANCETRES DE WINSTON CHURCHILL

5. Anne, mariée à un publicitaire, a monté sa propre agence de relations publiques il y a quatre ans. Elle emploi trois personnes. Nombre de ses clients sont installés en province. *« Alors, le TGV pour Lyon à 7 heures le matin, je connais »*, dit-elle. Elle s'estime privilégiée : depuis six ans, une femme de ménage travaille chez elle tous les après-midi. Consciemment, elle énumère ses responsabilités : *« C'est moi qui réveille les enfants le matin, qui leur donne le petit déjeuner, qui surveille leur habillement, qui les conduis à l'école, à vingt minutes de mon domicile en voiture. J'assiste aux réunions de parents d'élèves, je fais et défais les valises de la famille quant on part en vacances, et je n'oublie pas de débrancher le frigo. Je prends les rendez-vous chez le médecin, j'inscris les enfants au tennis, j'organise les dîners avec les belle-famille, les copains, les collègues. Bien sûr j'aurai décidé du menu, fait les courses et la cuisine... Bref, je passe mon temps à penser aux autres. »*
Le Point, 14 septembre 1987

au milieu des années 1970 un homme passait 10 à 13 heures par semaine à faire des tâches de maison ; une femme active, le double ou le triple (selon le nombre d'enfants), et la femme au foyer cinq fois plus.

Autre changement : comme on vit plus longtemps et que la durée moyenne des études s'est aussi prolongée, la fraction de sa vie que l'on passe à travailler est réduite proportionnellement (d'une année sur quatre en 1900 à une année sur neuf en 1984). De plus, de nombreux Français préféreraient <u>prendre</u> <u>leur</u> <u>retraite</u> à 60 ans (l'âge légal depuis 1982) — 84% y étaient favorables en 1982 — ou même prendre une retraite anticipée (= avant l'âge légal) : en 1986, 76% des Français salariés souhaitaient le faire.

IV. De nouvelles formes de travail

1. LE DÉVELOPPEMENT DU TRAVAIL INTÉRIMAIRE

Cette forme de travail, qui offre plus de souplesse en période de chômage mais qui peut permettre une exploitation des travailleurs, comprend aussi les contrats « à durée déterminée » (= limitée) et les stages (période de formation peu ou pas rémunérée).

6. En imaginant que vous décidiez de prendre votre retraite à 60 ans, quelle est, des éventualités suivantes, celle que vous choisiriez le plus volontiers ?

continuer de travailler à temps partiel dans votre entreprise ou votre activité	12%
travailler ailleurs que dans votre entreprise	3%
travailler bénévolement	11%
travailler sans être déclaré	1%
passer du temps à un ou plusieurs hobbies	34%
arrêter toute activité professionnelle	32%
ne se prononcent pas	7%

« (...) quitter son travail d'un jour à l'autre, lorsqu'on y a investi trente ou quarante années de sa vie, c'est un véritable deuil affectif : aimer ses copains d'atelier, ou détester son patron, cela crée des liens. Pour la majorité des gens, le champ des relations sociales se limite à celui de leur travail. Mais ce traumatisme de la retraite, on préfère ne pas en parler. »
Le Point, 5 avril 1982

2. LE DÉVELOPPEMENT DU TRAVAIL A TEMPS PARTIEL (= A MI-TEMPS)

Il s'agit ici d'une forme de travail beaucoup plus développée puisque 9% (1983) de la population active travaille moins de 30 heures par semaine. 80% sont des femmes, qui semblent y trouver une façon de concilier les obligations professionnelles et familiales. Il est vrai aussi que beaucoup plus de femmes occupent des postes où il est courant de travailler ainsi, c'est-à-dire dans le secteur des services et dans des emplois de responsabilité moins grande.

3. UN MOUVEMENT VERS LES HORAIRES SOUPLES

Il s'agit ici, non pas de réduire le nombre d'heures par semaine ou le nombre de semaines pendant lesquelles on va travailler, mais de voir s'il n'y a pas une autre façon plus «flexible » et donc plus souhaitable (pour le travailleur ? le patron ? les deux ?) d'organiser les heures de travail.

Quelques exemples : 1) travailler huit heures par jour avec en partie un horaire fixe quand tout le monde est au travail (par ex. de 10 heures à 16 heures), et les autres heures selon le goût de chacun ; 2) mettre les 40 heures de la semaine dans quatre journées plutôt que cinq, et pouvoir se reposer trois jours au lieu de deux ; 3) compter en heures annuelles et travailler un nombre variable d'heures jusqu'au total annuel que l'on doit faire.

En fait ces formules sont difficiles à réaliser, car il faut tenir compte du type de travail mais aussi des souhaits de ceux qui travaillent. Ainsi, en 1985-86 quand le gouvernement a proposé de laisser beaucoup plus de souplesse aux entreprises individuelles pour fixer leurs horaires, il y a eu une très forte résistance de la part d'un grand nombre de travailleurs et d'organismes syndicaux et politiques, qui craignaient de voir arriver une exploitation possible.

Il est difficile de mesurer à quel point ces nouvelles formes de travail sont une réponse à la crise économique, et dans quelle mesure elles sont le résultat d'une évolution sociale plus ou moins indépendante de la situation économique. On parle de plus en plus de « temps subi » et de « temps choisi », par exemple, et il est assez évident que le travail n'est pas une simple question économique, mais tout autant politique et culturelle, qui influe sur toute la vie d'une société.

V. Les syndicats

Les principaux syndicats en France sont :
- la C.G.T. (Confédération Générale du Travail), qui suit essentiellement la ligne communiste et lutte surtout pour protéger les « droits et avantages acquis » ;
- la C.F.D.T. (Confédération Française Démocratique du Travail), qui a une approche plus globale des problèmes ;
- moins à gauche se trouvent F.O. (Force ouvrière) et la C.F.T.C. (Confédération Française des Travailleurs Chrétiens), et au centre, la C.G.C. (Confédération Générale des Cadres) ;
- enfin, deux groupements puissants dans des secteurs précis : la F.E.N. (Fédération de l'Education Nationale), qui comprend un très grand pourcentage des enseignants, et dans l'agriculture la F.N.S.E.A. (Fédération Nationale des Syndicats d'Exploitants Agricoles).

Le pourcentage de Français syndiqués (environ 15%) est moins élevé que dans la plupart des pays comparables : les syndicats ont perdu des membres sous l'effet de la crise économique, et du fait de la réduction du secteur industriel. Aussi la législation française oblige moins les travailleurs à se syndiquer, et beaucoup comptent sur le fait que les améliorations obtenues dans le secteur public, où les syndicats sont particulièrement puissants, passeront très vite dans le secteur privé. Ce sont justement les grèves qui ont lieu dans le secteur public — Electricité-gaz de France, SNCF (= chemins de fer), les transports parisiens — qui frappent les étrangers ; en

---

7. « (...) les ''4x10 h'' ont entraîné pour les ouvrières une détérioration de leurs conditions de vie pendant les quatre journées de travail. Dans l'usine, et hors usine. Toutes en conviennent, reconnaissant qu'elles se trouvent dans une situation à la limite du supportable. Elles admettent également que la contrepartie de ce sacrifice impressionnant est faible ; les trois jours du week-end se résument en trois jours peu attrayants, de routine monotone. Pourtant toutes s'affirment inconditionnelles des ''4x10 h''.

(...) Le bénéfice de ce sacrifice incompréhensible est simple : une journée de moins à passer « là-haut », dans l'usine... L'attachement presque névrotique de ces femmes pour leur vendredi se résume ainsi : ce n'est pas les avantages du temps libéré qui importent, mais ce à quoi il permet d'échapper. »
Le Monde, 20 septembre 1981

---

8. « (...) le degré de civilisation auquel atteint une société se mesure aussi aux conditions dans lesquelles les gens ont accès à un emploi, à une qualification, aux droits et aux sécurités personnelles dans le travail et dans l'existence, au niveau de vie. La chute de ce niveau, de ces droits, de ces sécurités, manifeste bel et bien un recul de civilisation. La question se pose de savoir jusqu'où cela peut être toléré par le corps social. C'est un mauvais calcul que de penser pouvoir l'imposer durablement. Au plan syndical la C.G.T. est le recours. »
Henri Krasucki, secrétaire général de la C.G.T., in *Le Figaro*, 22 mai 1986

---

9. « ...permettez-moi deux remarques :
1. Si le droit de grève est prévu par la Constitution, le droit au travail n'est pas moins sacré. Il serait bon que le droit de grève soit réglementé pour les agents de la fonction publique. Garantie de l'emploi au droit de grève : mais pas les deux en même temps.
2. Il est scandaleux que des grévistes empêchent le départ des trains, gênent la circulation, commettent des exactions. Le Code pénal prévoit des sanctions pour ces délits. »
Lettre au *Point*, 19 janvier 1987

fait, ces grèves qui touchent une grande partie de la population durent rarement plus de 24 heures et le nombre d'heures de grève annuelles est moins élevé en France que dans beaucoup d'autres pays (les Etats-Unis par exemple). Enfin, ces dernières années le rôle des syndicats est devenu moins idéologique et plus « légitime », plus utile pour négocier les conflits de travail.

VI. Maîtriser le travail ou être maîtrisé par lui ?

En France aujourd'hui — comme ailleurs — on recherche une nouvelle place pour le travail dans la vie, avec une nouvelle définition et avec des conséquences qu'il est encore trop tôt pour calculer. En ce sens, la question fondamentale est sans doute de savoir qui contrôle qui, quel va être le rôle qualitatif du travail dans la vie de chacun.

1. Il y a encore beaucoup de personnes qui travaillent dans des conditions physiques et psychologiques pénibles ou désagréables, en particulier des ouvriers (entre 20 et 67% selon le problème). Souvent on doit rester au même endroit, dans une même position (debout, par exemple), dans la saleté et le bruit et même en danger d'accident. Beaucoup doivent aussi travailler à un rythme (= la cadence) qu'ils ne sont pas libres de déterminer, et sur des tâches répétitives et inintéressantes. Enfin la technologie, qui a fait et fera encore beaucoup pour améliorer les conditions physiques de travail, risque bien de remplacer pour beaucoup de gens un travail répétitif par un autre, et offrir de nouvelles façons, plus perfectionnées, de contrôler la productivité des travailleurs.

2. Plus spécifiquement française est une histoire de relations difficiles entre patronat et travailleurs, employeur et employé. Ceci est sans doute un élément d'un ensemble plus large qui touche toute la question des relations des Français avec l'autorité. Un climat de méfiance n'est pas seulement un problème en lui-même mais il empêche d'en résoudre d'autres ou de travailler ensemble pour essayer de le faire. C'est ce qui explique, du moins en partie, l'importance des actions syndicales d'une part et l'importance de l'Etat comme arbitre d'autre part. Des signes d'une nouvelle perspective sur le rôle des entreprises et de leurs chefs sont cependant apparus, peut-être encore une fois sous l'effet de la crise.

3. Enfin, point noir pour tout le monde — employés, patrons, experts économiques, hommes politiques — le chômage.

Depuis le début de la crise économique (1973) la France a connu comme les autres pays industrialisés à la fois l'inflation et le chômage, mais ici aussi on peut trouver des particularités. D'abord le fait que si l'inflation a été maîtrisée vers le milieu des années 1980, c'est-à-dire quelques années plus tard que dans certains autres pays, le chômage a continué d'augmenter (ici l'amélioration a été plus longue à venir). Ainsi, de 2,8% de la population active au chômage en 1973 la France est passée à 10% environ de la population active dans les années 80 : 13% des femmes et 9% des hommes. (NB. La définition du chômage et le calcul du taux varient entre les pays et... entre le gouvernement et l'opposition.)

De plus il frappe inégalement, touchant particulièrement :
- les femmes : deux fois plus que les hommes — elles se trouvent dans des secteurs plus vulnérables, ont moins de qualifications et moins d'ancienneté ;

10. Pour faire face aux difficultés économiques, pensez-vous...	1973	1982
qu'il faut faire confiance aux entreprises et leur donner plus de liberté	33%	58%
au contraire qu'il faut que l'Etat les contrôle et les réglemente plus étroitement	49%	31%
Sans opinion	18%	11%

Pensez-vous que les chefs d'entreprise sont indispensables, plutôt utiles, plutôt inutiles ou tout à fait inutiles à la vie économique du pays ? (1982)

Indispensables	48%
Plutôt utiles	43%
Plutôt inutiles	4%
Tout à fait inutiles	1%
Sans opinion	4%

Sofres.

L'EXPRESS — CHOMAGE LE CHOC DES 2 MILLIONS

- les jeunes : un sur quatre − ils ont surtout du mal à entrer dans le marché du travail ;
- les moins diplômés − plus on a fait d'études moins on risque le chômage ;
- enfin les travailleurs étrangers : deux fois plus que la moyenne, bien que certains les accusent d'être responsables du chômage.

Enfin, même si les allocations-chômage françaises sont relativement « généreuses », le chômage paraît avoir été le souci principal des Français des années 1980. V. Giscard-d'Estaing semble avoir perdu les élections présidentielles de l981 pour n'avoir pas mieux combattu le chômage, et les sondages citaient régulièrement l'inquiétude devant le chômage avant les élections législatives de 1986. Si ces mêmes années ont été une époque où les Français − comme les Socialistes qui les gouvernaient − ont appris combien les faits économiques modernes résistent à des solutions idéologiques ou (simplement) nationales, les Français restent profondément attachés au droit au travail et tiennent à la sécurité de l'emploi comme un droit fondamental. S'ils estiment sans doute dans l'ensemble qu'il faut travailler pour vivre et non vivre pour travailler, ils considèrent néanmoins le chômage comme une violation de ce droit. La sécurité de l'emploi est même − avec le temps libre (c'est nouveau) − une des valeurs que les Français placent au-dessus de la rémunération.

> **11.** Créés à l'automne 1984, les TUC comptent actuellement 231 000 bénéficiaires dans les administrations, les associations ou les collectivités locales. Ces travaux d'utilité collective sont réservés aux jeunes de 18 à 21 ans (ou 25 ans pour les chômeurs de longue durée). Ceux-ci se voient confier à mi-temps une tâche « susceptible de contribuer à l'amélioration de la vie sociale ». En contrepartie, ils reçoivent 1 250 francs par mois de l'État, plus, éventuellement, 500 francs de l'employeur. Selon une enquête réalisée en décembre 1986 auprès de 2 000 jeunes de 18 à 21 ans sortis d'un TUC huit mois auparavant, 63% de ces « tucistes » avaient trouvé au moins un emploi entre-temps, le plus souvent à durée déterminée.
>
> *Le Point*, 10 août 1987

VII. Du temps libre, mais pour quoi faire ?

Le mot loisirs désigne en principe le temps libre dans sa totalité, mais semble être utilisé surtout pour évoquer de courtes périodes de temps, en réservant vacances pour des blocs de quinze jours ou plus. Les vacances s'appellent officiellement les congés payés. Institués en 1936 (15 jours), ils sont depuis 1982 de cinq semaines.

> **12.** Les Français entretiennent avec leur propre paresse des rapports ambigus, moitié gêne moitié tendresse cocardière. Prompts à remâcher les idées noires du déclin français, nous ne sommes jamais tout à fait sûrs que la paresse − disons le moindre travail − soit un défaut. Nous inclinons plutôt à en faire une dimension privilégiée de cet art de vivre hexagonal qui produit par exemple les bons fromages, les grands médocs et la haute couture. Et chez tout Français, bien dissimulée, gît la conviction que le génie national peut tout de même s'affranchir des horaires pesants et pour tout dire vulgairement japonais. Nous ne sommes pas loin de penser que travailler peu est affaire d'élégance et de don.
>
> *Le Nouvel Observateur*, 11 décembre 1987

13. Dans quel pays ou région du monde voudriez-vous aller en priorité ?

Pour un séjour d'une semaine en %		Pour un mois ou deux en %	
1. Espagne/Portugal	11,4	1. Antilles	7,5
2. Grande-Bretagne	7,6	2. Etats-Unis	7,1
3. Italie	7,1	3. Canada	5,4
4. Grèce	6,7	4. Amérique latine	4,7
5. Antilles	4,5	5. Grèce	4,7
6. Pays scandinaves	3,9	6. Mexique/Amérique centrale	4,4
7. Allemagne	3,5	7. Espagne/Portugal	4,3
8. Etats-Unis	2,8	8. Pays scandinaves	3,5
9. France	2,4	9. Afrique noire	3,5
10. Maghreb	2,3	10. Italie	2,8

C.C.A.

On sait un certain nombre de choses sur les activités et les préférences des Français en ce qui concerne le temps libre. Ainsi, ont pratiqué les activités suivantes au cours des douze mois précédents :

Lecture....................................	74,0% des Français
Journal télévisé (tous les jours)	62,6%
Cinéma	49,7%
Journaux (tous les jours)	46,2%
Fête foraine	43,1%
Foires, expositions, salons	41,5%

(Ministère de la culture, 1982)

De plus, le sport et la forme physique en général occupent une proportion de plus en plus grande des loisirs des Français : « le jogging » (18%), la natation (15%), le football (11%), le tennis (9%), le vélo (8%), le ski (7%) — Ministère de la Culture, 1982.

LE POINT

N° 776/3-9 AOUT 1987/15F
HEBDOMADAIRE D'INFORMATION

Tourisme de masse
les nouveaux
barbares

14. (...) L'image de la France est évaluée positivement [par cent cinquante agents de voyage américains] en ce qui concerne la gastronomie, les activités nocturnes (première place), la culture et l'histoire (troisième derrière l'Italie et la Grèce ;), le shopping (troisième derrière l'Italie et la Grande-Bretagne) et les « aventures sentimentales – destination lune de miel » – catégorie où elle arrive deuxième après l'Italie.

En revanche, l'image de la France laisse à désirer en ce qui concerne la beauté des sites (quatrième derrière la Suisse, l'Italie et la Grèce), les conditions climatiques (elle occupe la cinquième position) et le rapport qualité-prix, catégorie où elle est devancée par l'Espagne, la Grèce, l'Italie et la Grande-Bretagne...

A en croire cette étude, le problème majeur, pour la France, c'est l'accueil des touristes, véritable point noir de son image. En ce qui concerne l'« amabilité de la population », notre pays mérite en effet un bonnet d'âne consternant avec la dernière place d'un classement dont l'Italie et la Grèce occupent les premières places.

Le Figaro, 8 février 1986

---

15. Les ruptures traditionnelles du temps social (fins de semaine, congés payés, retraite, etc.) étaient hier considérées comme des progrès (...) [les Français] se demandent aujourd'hui si le découpage de la vie en trois périodes successives (un temps pour apprendre, un autre pour travailler, le dernier pour se reposer) n'est pas totalement artificiel. Pourquoi ne pas apprendre quand on en a envie ou quand c'est nécessaire ? Pourquoi ne pas "se mettre en retraite" à différentes époques de sa vie afin de s'orienter vers un autre type d'activité, prendre un peu de recul ou simplement profiter de la vie ?

Francoscopie (Larousse, 1985)

Il est intéressant de noter que les loisirs se pratiquent en grande partie chez soi, en famille ou avec des amis, et avec des équipements de loisirs de plus en plus abondants chaque année — fin 1985 : télévision couleur (77%), chaîne hi-fi (36%), magnétoscope (14%). Le dimanche en particulier est consacré à des repas de famille ou d'amis (41%) et... à regarder la télévision (40%).

Il est difficile de mesurer exactement l'effet de la cinquième semaine de congés payés, mais aussi de la crise économique, sur les pratiques de loisirs des Français. Les départs en vacances restent en tout cas importants, surtout pour sortir des villes : 80% des Parisiens partent au moins une fois par an, 64% de ceux qui habitent les autres grandes villes, et 40% des habitants ruraux. Sans doute pour des raisons de calendrier scolaire, et aussi dans l'espoir d'avoir du beau temps, plus de 50% des départs ont lieu en été, pour une durée moyenne de 25 jours environ. Les destinations principales : la mer (36%) et la campagne (25%). Un vacancier sur six part à l'étranger, surtout pour le soleil.

Enfin, deux tendances récentes : le fait que de plus en plus de Français prennent aussi des vacances d'hiver (25%, mais 10% seulement aux sports d'hiver) ; et le désir grandissant chez beaucoup de profiter intellectuellement et culturellement de ses vacances : « je ne veux pas bronzer idiot ! »

Pour vous personnellement quelles sont vos préoccupations principales actuellement ? (1).

– Avoir une augmentation de salaire	36
– Travailler moins	11
– Avoir de meilleures conditions de travail (horaires variables, etc.)	19
– Garder mon emploi	47
– Etre intéressé aux résultats financiers de mon entreprise	17
– Trouver un emploi	12
– Avoir davantage le droit de m'exprimer dans mon entreprise	15
– Sans opinion	12
	% (2)

(1) Le total des pourcentages est supérieur à 100, les personnes interrogées ayant pu donner plusieurs réponses.
(2) Cette question a été posée exclusivement à des personnes en activité. *Le Figaro*, 15 octobre 1986

VOCABULAIRE

I. Complétez le paragraphe avec les termes qui manquent.

« Au début, j'espérais . . . un métier intéressant, mais quand j'ai fini mes études il n'y avait pas beaucoup de . . . et j'ai dû accepter le . . . que j'occupe actuellement. Non seulement il est ennuyeux, mais je . . . mal ma vie. En même temps, par rapport aux . . . j'ai sans doute de la chance : j'ai une grande . . . d'emploi, et notre . . . est assez puissant et nous . . . bien. La dernière fois que nous avons fait . . . notre . . . a été bien améliorée. Mais j'ai 38 ans, il faudra donc attendre . . . ans avant de . . . ma retraite. »

II. Complétez les phrases suivantes :

1. Pour les vacances les Français . . .
2. Les Français sont très attachés . . .
3. Plus de quatre Français sur cinq préféreraient . . .
4. Les femmes souhaitent . . .
5. A peu près le même pourcentage de Français estiment que les chefs d'entreprise . . .

III. Définissez les termes suivants ou utilisez-les dans une phrase qui en montrent clairement le sens.

1. chômage   **5.** femme au foyer
2. syndiqué   **6.** retraite
3. congé   **7.** vacances
4. situation

IV. Discussion : dites si selon vous les propositions suivantes sont vraies ou fausses, et pourquoi. (Il ne s'agit pas nécessairement de l'opinion de la majorité des Français.)

N.B. L'exercice peut être oral ou écrit.

1. Le plus important dans le travail, c'est d'être bien payé.
2. Les syndicats sont un mal nécessaire.
3. Il vaut mieux prendre ses vacances en bloc qu'en plusieurs périodes courtes.
4. La sécurité de l'emploi est un privilège que l'on doit mériter plutôt qu'un droit.
5. Le travail à mi-temps est la seule façon civilisée de travailler.
6. Les femmes devraient travailler moins pour qu'il y ait moins de chômage.

7. Pouvoir prendre sa retraite à 60 ans est l'idéal.
8. Il ne faut pas bronzer idiot.

V. Jeu de rôle.

Vous faites partie du comité qui doit préparer votre entreprise à l'an 2000. Ce « comité 2000 » réunit des travailleurs, des représentants syndicaux, des représentants de la direction (= le patronat), et des experts extérieurs. Divisez votre classe ou groupe selon ces rôles, et discuter des formes de travail et de loisirs souhaitables en l'an 2000.

VOULOIR : de **souhaiter** à **revendiquer**

N.B. Les verbes qui expriment un degré de volonté sont tous suivis du subjonctif, sauf pour la construction espérer que.

1. D'abord des adjectifs qui expriment le degré d'intensité :
favorable · indifférent · opposé
* « *Êtes-vous favorable, indifférent ou opposé à cette décision ?* »*

indispensable · utile · inutile
* « *Pensez-vous que les chefs d'entreprise sont indispensables...* »*

2. Ensuite des verbes, que nous présentons par intensité grandissante (+ , + +)
souhaiter faire quelque chose = **le souhait = souhaitable**
* « *une autre façon plus souhaitable d'organiser les heures de travail* »
* « *tenir compte des souhaits de ceux qui travaillent* »

espérer, l'espoir de faire quelque chose ≠ **craindre** quelque chose, **de** faire quelque chose
* « *on cherche un emploi dans l'espoir d'exercer un métier* »
* « *on espère aussi qu'il y aura des débouchés* »
* « *dans l'espoir d'avoir du beau temps, ils partent en été* »
* *ils craignaient de voir arriver une nouvelle exploitation possible* »*

vouloir quelque chose, faire quelque chose ≠ **résister** à quelque chose, **+ contester** quelque chose
* « *quand on a une situation, on ne veut pas la perdre* »
* « *je ne veux pas bronzer idiot !* »
* « *ils craignaient de voir arriver une exploitation possible* »

- « *les faits économiques résistent aux solu-tions idéologiques* »
- « *personne ne conteste la légitimité du travail des femmes* »*

le désir de quelque chose, **de** faire quelque chose = **désirer**
- « *le désir de profiter intellectuellement des vacances* »

+ préférer quelque chose, faire quelque chose = **avoir une préférence pour = éviter** quelque chose, **de**
- « *de nombreux Français préfèrent prendre leur retraite à 60 ans* »
- « *ce traumatisme de la retraite, on préfère ne pas en parler* »*
- « *les préférences des Français en ce qui concerne le temps libre* »
- « *pour éviter d'être chômeur* »

+ mieux vaut (il vaut mieux) faire quelque chose = préférable
- « *mieux vaut envoyer les femmes au lit* »*

+ + la revendication (revendiquer)
= **tenir à** quelque chose = être **très attaché à** quelque chose.
= **il faut** faire quelque chose, **il faut que** = devoir
- « *les syndicats expriment leurs revendications* »
- « *le total annuel qu'on doit faire* »
- « *il faut faire confiance aux entreprises... il faut que l'Etat les contrôle plus étroitement* »*
- « *les Français restent profondément attachés au droit au travail et tiennent à la sécurité de l'emploi comme un droit fondamental* »

EXERCICES

I. Faites des phrases exprimant différents degrés de volonté (+, −, + +) en changeant le mot souligné.

1. Les Français souhaitent la sécurité de l'emploi. (+)

2. Beaucoup de travailleurs ne sont pas favorables aux horaires souples. (+ +)

3. Un certain nombre de Français tiennent à prendre leurs vacances en août. (−)

4. Quand on part en vacances on veut avoir beau temps. (+)

5. Certains hommes résistent à l'idée des femmes qui travaillent. (+)

II. Faites une nouvelle phrase où le mot entre parenthèses devient le sujet de l'action dési-rée (il faut que..., il vaut mieux que...).

1. Il vaut mieux aller travailler. (les jeunes)

2. Il vaut mieux prendre sa retraite. (mon père)

3. Il faut dire clairement ce qu'on veut. (vous)

4. Il faut partir chercher du travail. (nous)

5. Il faut faire un travail sérieux. (tu)

6. Mieux vaut pouvoir choisir l'endroit où l'on passe ses vacances. (tu)

7. Il ne faut pas bronzer idiot. (nous)

III. A propos de demain : mettez chacune des phrases au futur.

1. Le jeune chômeur cherche du travail.

2. Beaucoup de femmes recommencent à travailler.

3. Il faut revendiquer si on ne nous écoute pas.

4. Il vaut mieux être retraité que chômeur.

5. Les syndicats doivent respecter la loi du travail, les patrons aussi.

IV. Dans les phrases suivantes remplacez le verbe devoir par la construction il faut, et vice versa. Attention aux autre changements qui seront nécessaires.

1. Un chômeur doit avoir beaucoup de patience et de courage.

2. Nous devons donner cinq semaines de congés à nos employés.

3. Il ne faut pas bronzer idiot.

4. L'Etat a dû servir d'arbitre dans le conflit social.

5. Les hommes devront faire le travail à la maison pour aider les femmes qui travaillent.

V. Faites des phrases avec les éléments suivants.

1. patrons/résister

2. Français préférer

3. retraite/espérer

4. syndicats/revendiquer

5. éviter/chômage

VI. En utilisant le vocabulaire de vouloir...
A. Commenter les résultats dans les tableaux 6 et 13.
B. Simuler une interview entre un patron et un jeune ou une femme qui cherche un emploi.

5. LES GROUPES SOCIAUX

I. *Structures et classifications*

Il y a plusieurs façons de parler de la composition de la population active. Ainsi, on peut utiliser par exemple la description <u>marxiste</u> (prolétariat et bourgeoisie) ou la description <u>économique</u> en secteurs primaire (agriculture), secondaire (industrie), et tertiaire (services) ; ou encore la description <u>sociologique</u> non-marxiste qui parle de classe supérieure ou dirigeante, classes moyennes, et classes populaires.

A quelle classe sociale avez-vous le sentiment d'appartenir ? (Sur 100 personnes ayant le sentiment d'appartenir à une classe sociale. Réponses spontanées.

1. Avez-vous le sentiment d'appartenir à une classe sociale ? (en %)			
	Aujourd'hui	Rappel 1983 (1)	Rappel 1976 (2)
Oui	56	62	68
Non	40	32	26
Sans réponse	4	6	6

(1) Sondage IÉxpansion-Sofres, mars 1983.
(2) Sondage l'Expansion-Sofres, décembre 1976.

La bourgeoisie	3	5
Les classes dirigeantes	1	–
Les cadres	5	–
Les classes moyennes	31	34
La classe ouvrière, les ouvriers	26	40
Les travailleurs, les salariés	9	–
La paysannerie, les paysans, les agriculteurs	5	13
Les commerçants	2	–
Les pauvres	1	–
Autres réponses	11	8
Sans réponses	6	–

L'Expansion, 19 juin 1987

" Avez-vous le sentiment d'appartenir à une classe sociale ? "
Réponse " oui " par catégorie socioprofessionnelle (en %)

	Artisan,commerçant		Ouvrier		Employé		Cadre supérieur, profession libérale		Agriculteur		Cadre moyen	
	Aujourd'hui	Rappel 1976 (1)	Aujourd'hui	Rappel 1976 (1)	Aujourd'hui	Rappel 1976 (1)	Aujourd'hui	Rappel 1976 (1)	Aujourd'hui	Rappel 1976 (1)	Aujourd'hui	Rappel 1976 (1)
	43	57	50	74	59	64	60	68	61	74	63	57

L' Expansion 19 juin 1987

La classification que l'on voit le plus souvent dans la presse, les sondages et les statistiques officielles est celle des groupes socio-professionnels (G.S.P.). Elle comporte six grands groupes qui sont composés de plusieurs sous-groupes ou catégories socio-professionnelles (C.S.P.). Ils sont indiqués ici avec certaines des professions qui les composent, et leur pourcentage dans la population active en 1982 :

1. Agriculteurs exploitants (= patrons agricoles) 6,5%
2. Artisans, commerçants, et chefs d'entreprises 7,5
3. Cadres et professions intellectuelles supérieures (dont professions libérales — médecins, dentistes, avocats, architectes, etc. — professeurs, cadres d'entreprise et de la fonction publique) 7,5
4. Professions intermédiaires (dont instituteurs, professions intermédiaires*, techniciens, contremaîtres*) 19,5
5. Employés (de la fonction publique, d'entreprise, de commerce) 26
6. Ouvriers (qualifiés, non qualifiés, agricoles*) 32
7. Retraités (dont chômeurs n'ayant jamais travaillé et inactifs autres que retraités) ....
8. Autres personnes (inactives) ....
(INSEE)

Une autre distinction très importante dans le contexte social français est celle du statut. Il s'agit de savoir : 1) si la personne est salariée ou non, et 2) si elle est salariée de l'Etat ou du secteur privé. Les salariés de l'Etat (= fonctionnaires) ont une grande sécurité d'emploi et certains avantages, mais ont en général des salaires moins élevés que dans le secteur privé. Les non-salariés (surtout les patrons et les professions libérales) ont certains avantages fiscaux (= en ce qui concerne les impôts).

* Indique une catégorie que l'on classait dans un groupe différent avant 1982. En particulier, les ouvriers agricoles n'ont plus de classification à part, les contremaîtres ne sont plus classés avec les ouvriers ; les cadres moyens ont changé de nom et n'ont plus leur propre catégorie, mais figurent parmi les professions intermédiaires.

II. Des changements majeurs

Depuis la guerre un certain nombre de changements très importants ont modifié la situation socio-professionnelle en France. Le plus important et sans doute le plus profond, ce sont les années de croissance et de prospérité après la deuxième guerre mondiale et surtout entre 1950 et 1975, quand les salaires ont triplé et le niveau de vie a augmenté quatre fois (voir aussi chap. VI sur l'économie). D'autres changements ont accompagné cette transformation ou en ont résulté.

1. LA DIMINUTION DU SECTEUR AGRICOLE
(de 28 à 7% entre 1954 et 1982)

C'est arrivé en France comme ailleurs dans le monde industrialisé, mais avec des effets plus dramatiques en France à cause de l'importance ancienne du secteur agricole et la rapidité de cette transformation, en l'espace d'une génération. La plus grande productivité agricole — la mécanisation, de meilleures techniques, des exploitations regroupées — a fait diminuer le nombre de gens qui y travaillaient, et le mode de vie des paysans a changé radicalement en même temps, pour ressembler beaucoup plus à celui des autres Français (équipement, confort, habitat, contact par la télévision, etc.). Les paysans ont cependant encore une vie qui dépend beaucoup de forces extérieures, en particulier le temps et les saisons (ils peuvent moins facilement partir en vacances, par exemple), et le fait que le Marché Commun est non seulement un plus grand marché mais aussi une source de concurrence très rude, enfin le fait que pour se moderniser ils ont dû acheter à crédit (= emprunter de l'argent).

2. UNE URBANISATION PLUS FORTE

C'est lié à la diminution du secteur agricole, mais dans les années 1970 la croissance des grandes villes s'est arrêtée et ce sont plutôt les villes moyennes et petites qui ont grandi : après tout, le passé agricole de beaucoup de Français n'est pas très lointain (voir aussi chap. III sur l'espace français).

2. « (...) il est scandaleux de demander à des gens de produire quelque chose sans qu'ils sachent à quoi ça sert. Il faudrait mettre les ouvriers au courant de la situation économique ; ensuite, des conseils d'ouvriers, formés de délégués, décideraient du niveau et de la qualité de la production. Cela éviterait le pouvoir des technocrates et remettrait la hiérarchie en cause. »

In Arbois & Schidlow, *La vraie vie des Français* (Seuil, 1974)

3. L'artisan obéit sans doute aux mêmes mobiles que le paysan qui se bat pour rester sur sa terre. Entrepreneur individuel il est entreprenant et il est son maître. Voilà une aspiration qui, aujourd'hui, revêt une importance considérable. Et c'est ce qui pousse des hommes jeunes à devenir artisan (...)

Vues du côté des consommateurs, les raisons d'utiliser le savoir-faire, le « métier » de l'artisan sont finalement de même nature. Bien sûr on râle contre les prix du charcutier, les lenteurs du maçon, du menuisier ou du plombier. Mais l'artisan c'est un individu, pas une « grosse boîte ». C'est quelqu'un de proche, pas l'annexe d'une entreprise géante. C'est quelqu'un avec qui l'on peut discuter, voire discutailler. Ce n'est pas un robot, un terminal d'ordinateur ou quelqu'un d'empêtré dans les contrats, les règlements internes.

Le Pèlerin, 1er mai 1983

3. LA « TERTIARISATION »

Malgré des variations et surtout des restructurations, le secteur industriel continue de représenter un tiers environ de la population active (39% en 1962, 31% aujourd'hui). En même temps une plus forte demande de services (administration, éducation, santé, loisirs, etc.) a fait grandir le secteur tertiaire de 35 à plus de 50% de la population active aujourd'hui. Il faut noter cependant qu'il ne s'agit pas de dire que les ouvriers agricoles qui quittaient l'agriculture ont commencé à travailler dans les services, car les transferts sont beaucoup plus complexes. Enfin, les trois quarts des femmes salariées travaillent dans le secteur tertiaire.

Dans cette évolution du secteur des services on a remarqué l'émergence de ce qu'on appelle les professions intermédiaires (les cadres moyens en particulier, dont le nombre a plus que doublé en vingt ans) mais on y compte aussi les instituteurs, les techniciens et — c'est nouveau — les contremaîtres et agents de maîtrise, c'est-à-dire ceux qui sont chargés de contrôler le travail des ouvriers.

Il ne faut pas les confondre avec les « classes moyennes », qui comprendraient non seulement ce groupe-ci, mais aussi les artisans et petits commerçants, la plupart des employés et une partie des cadres supérieurs, « environ 30% de la population qui se définit par sa position médiane et par un certain nombre de traits communs : possession du logement (et souvent disposition d'une résidence secondaire), revenu salarié des deux époux, niveau d'instruction dépassant le niveau du baccalauréat qui définit un univers culturel commun » (in *La Revue Tocqueville*, 1986-87). La classe supérieure ou « dirigeante » comprendrait alors les cadres supérieurs les plus responsables et mieux payés, les grands patrons et chefs de grandes entreprises, et l'élite des professions libérales ; on grouperait dans les classes populaires les autres employés, les ouvriers, les ouvriers agricoles et les petits exploitants agricoles.

D'autres considérations interviennent quand on essaie de caractériser un métier, comme le montre bien l'exemple des employés et des ouvriers. Le premier groupe, qui appartient au secteur tertiaire, a beaucoup grandi (27% de la population active en 1985) alors que les ouvriers continuent de représenter à peu près le même pourcentage de la population active. En revanche, les salaires des deux groupes se sont beaucoup rapprochés, du moins en ce qui concerne les ouvriers qualifiés, et les conditions de travail des employés ont commencé à ressembler à celles des ouvriers : un travail répétitif, sur des tâches limitées, sans autonomie ni participation aux décisions. C'est surtout le prestige de la situation de l'employé qui le situe encore dans les classes moyennes : généralement, et contrairement à l'ouvrier, il ou elle a fait quelques études, ne travaille pas de ses mains, a un cadre de travail plus agréable et travaille avec des gens placés plus haut dans la hiérarchie sociale, enfin a quelques chances de mobilité sociale. Mais ce prestige est menacé par l'évolution de ses conditions de travail.

Mais — comme le montrent les sentiments d'appartenance de classe en début de chapitre — il y a aussi ouvrier et ouvrier. Avec l'informatisation et la robotisation, le travail devient de moins en moins une question de force ou d'habileté physiques : la machine crée selon sa programmation et l'ouvrier qui la commande ressemble souvent plus à un travailleur du secteur tertiaire. « Les jeunes ouvriers, en raison même de leur niveau de formation — ils ont parfois le bac — se sentent plus proche des jeunes techniciens que de leurs camarades plus âgés. D'où des tiraillements entre les deux générations » (in *l'Express*, 29 avril 1988.

Enfin, le phénomène du <u>cadre supérieur</u> est assez symbolique des changements de la société française de l'après-guerre. Assez difficile à définir avec précision (il s'agit du « personnel d'encadrement », qui encadre d'autres personnes), il se caractérise surtout par un certain style de vie et un statut reconnaissable : il a une compétence certifiée par un diplôme et un salaire élevé, une situation avantageuse à l'intérieur de l'entreprise ou de l'administration, et un statut très marqué. Modèle d'efficacité et de dynamisme pendant les années de croissance (son nombre a triplé entre 1954 et 1975), le cadre aura une situation de plus en plus difficile pendant les années de crise : son pouvoir d'achat est réduit, ses initiatives diminuent, il est de plus en plus difficile de rester compétitif, et son poste n'offre plus la même sécurité qu'en temps de prospérité.

> **4.** « Que m'a apporté mon travail ? De l'argent. Je gagne bien ma vie. Beaucoup mieux que mon père. Cela me permet le confort, les vacances, ma maison que nous avons achetée l'an dernier et bien sûr qui n'est pas encore entièrement payée.
>
> « Mais aussi une certaine réussite personnelle. Je me sens parce que je n'ai pas mal « réussi », parce que je suis « reconnu » par les autres, plus confiant en moi qu'il y a quinze ou vingt ans, quand j'étais collégien (peu brillant) et étudiant (moyen).
>
> « Que m'a enlevé, que m'enlève encore mon travail ?
>
> « Le temps, ce qui me semble aujourd'hui le seul luxe de l'existence. Le temps de vivre tranquillement. »
>
> In Arbois & Schidlow, *La vraie vie des Français* (Seuil, 1974)

SPECIAL 24 PAGES ECONOMIE MONDIALE

OU VA L'ECONOMIE MONDIALE

L'EXPRESS

CADRES : LES TRAJECTOIRES DE LA REUSSITE

M 1722 - 1598 - 9 F   19-25 FEVRIER 1982

75

5. « Les hommes aussi souhaitent quitter l'usine. Etre ouvrier ou manoeuvre n'est le rêve de personne. Mais la différence entre les hommes et les femmes réside dans la façon de s'en sortir. Si beaucoup de jeunes ouvriers rêvent de quitter l'usine pour se mettre à leur compte ou devenir chauffeur de poids lourds (c'est l'illusion d'être seul maître à bord, de maîtriser son temps), il n'en reste pas moins que la majorité restent dans l'usine, mais en montant dans l'échelle des classifications (ouvriers qualifiés, agents techniques...)

« Les femmes en revanche quittent fréquemment la filière industrielle pour passer dans le tertiaire ou retourner momentanément chez elles, le temps d'élever leurs enfants. C'est un fait. Les désirs qu'elles expriment correspondent à cette réalité : fuir l'usine et ses conditons de travail pour faire des métiers moins durs physiquement, plus compatibles avec l'image que la société donne de la « femme »(...)

«Cela dit, il faut nuancer. Si beaucoup de femmes expriment le souhait de sortir de l'usine, elles affirment cependant y trouver des aspects positifs : c'est un lieu de socialisation et de solidarité. »

Le Monde Dimanche, 6 mars 1983

4. LA FORTE AUGMENTATION DU POURCENTAGE DES SALARIÉS

C'est encore un changement majeur : en nombre, puisque les salariés représentent presque 85% de la population active en 1984 (par rapport à 62% en 1960). Mais aussi en psychologie, car pendant longtemps la situation salariale était considérée comme une situation de dépendance et de subordination ; le rêve était donc de «travailler à son propre compte », c'est-à-dire d'être son propre patron.

Ce qui frappe aujourd'hui quand on regarde l'évolution de la situation des travailleurs indépendants (surtout les patrons de petits commerces et artisans), c'est combien de petits commerces (presque 20%) ont disparu, notamment dans l'alimentation, pour être remplacés par les « grandes surfaces » — supermarchés, hypermarchés et centres d'achats — entre les années 1950 et 1970 (la situation est plus stable aujourd'hui). Ces petits patrons, qui étaient un peu l'image de la France pour beaucoup d'étrangers, avaient un mode de vie moins stable que les salariés : plus indépendants, ils couraient aussi un risque bien plus grand de concurrence et de faillite (= l'échec financier). C'est en ce sens que la situation salariale a pu paraître plus sûre et plus attrayante.

Mais il faut se rappeler aussi qu'il y a salarié et salarié. Certains ont, par exemple, une rémunération plus élevée et plus de stabilité et de sécurité parce qu'ils ont de meilleures qualifications, ou qu'ils travaillent dans une entreprise plus moderne ou plus grande. Ils sont à distinguer de ceux qui en période de crise économique, c'est-à-dire depuis plus de dix ans, ont une situation moins bien protégée parce que leur travail est intérimaire, ou à durée déterminée, ou non déclaré à la Sécurité sociale, ou même clandestin (pour beaucoup d'immigrés). Dans la France contemporaine c'est donc souvent une erreur de parler des ouvriers (par exemple) comme s'ils constituaient un seul bloc. Il y a des clivages aussi bien à l'intérieur des groupes socio-professionnels qu'entre un groupe et un autre.

6. D'ici à 1995, la France devrait perdre 19 000 points de vente d'alimentation générale (épicerie, produits alimentaires préemballés) pour ne plus compter que 57 000 magasins (−25 %), contre 76 000 en 1985 et 137 000 en 1970. [...]

Terrain privilégié de la révolution du commerce moderne (grandes surfaces et libres services), l'alimentation générale laisse encore en France une place importante aux commerces spécialisés (boulangeries, pâtisseries, boucheries, charcuteries), qui ont disparu aux Etats-Unis, où tous les produits alimentaires transitent par les supermarchés. [...]

La distribution française est encore caractérisée par l'existence de nombreux très grands hypermarchés : 2 % des points de vente du commerce alimentaire réalisant 56 % du chiffre d'affaires des produits recensés, et 10 % des magasins 83 % du chiffre d'affaires.

Le Monde, 15 octobre 1986

7. Les femmes célibataires s'approprient de meilleures positions professionnelles que les hommes célibataires, les femmes mariées de moins bonnes positions que les hommes mariés. Près de 28% des femmes célibataires sont cadres moyens ou supérieurs contre 8% des hommes célibataires : 14% des femmes mariés sont cadres contre 21% des hommes mariés...

de Singly, in Corvi & Salort,
Les Femmes et le marché du travail (Hatier, 1985)

5. LE RETOUR D'UN GRAND NOMBRE DE FEMMES A LA VIE ACTIVE

36% des femmes travaillaient en 1968, mais elles sont 45% environ en 1983, un changement qui touche engrande partie des femmes mariées. Elle retravaillent sans doute pour plusieurs raisons : des études plus avancées ; le désir de trouver une nouvelle définition de soi-même par le travail ; la nécessité d'un deuxième salaire en période de crise ; l'augmentation du nombre de postes dans le secteur des services (employées et cadres moyens, par exemple).

En même temps on remarque que ce sont les emplois « féminins » qui sont les moins qualifiés, les plus pénibles, les moins sûrs, les moins bien payés (25% de moins en moyenne que les hommes). On peut l'expliquer en partie par le fait que les femmes travaillent souvent depuis moins longtemps que les hommes, qu'elles ont souvent une formation moins appropriée (parce que plus « classique »), ou qu'elles revendiquent et se défendent moins bien. Cette situation s'explique néanmoins aussi par une discrimination traditionnelle contre les femmes. Même dans le secteur public, où la loi sur l'égalité des salaires (« à travail égal, salaire égal » − 1972, puis 1983) est sans doute mieux respectée, on remarque que les femmes occupent moins fréquemment les postes de grande responsabilité qui leur permettraient de toucher un meilleur salaire.

8. Quels sont en 1986, dans l'ordre les professions ou métiers qui ont...

Les dix professions qui ont le plus de prestige		Les dix professions qui rapportent le plus d'argent		Les dix professions qui ont le plus d'avenir		Si vous aviez aujourd'hui un enfant et si vous pouviez choisir sa profession, qu'est-ce que vous voudriez qu'il fasse ?	
1 médecin	49%	1 médecin	39%	1 informaticien	58%	1 informaticien	12%
2 informaticien	24%	2 PDG	26%	2 médecin	34%	2 médecin	11%
3 avocat	15%	3 avocat	18%	3 électronicien	23%	3 fonctionnaire	7%
4 professeur	13%	4 notaire	17%	4 chercheur	12%	4 ingénieur	7%
5 chirurgien	12%	5 chirurgien	15%	5 commerçant	12%	5 professeur	6%
6 ingénieur	12%	6 ingénieur	14%	6 ingénieur	11%	6 électronicien	5%
7 chercheur	12%	7 ministre	12%	7 fonctionnaire	8%	7 instituteur	3%
8 notaire	6%	8 dentiste	11%	8 professeur	7%	8 avocat	2%
9 fonctionnaire	6%	9 banquier	10%	9 artisan	6%	9 vétérinaire	2%
10 dentiste	4%	10 pharmacien	10%	10 boulanger	5%	10 agriculteur	2%

J'exerce
une profession libérale
dans une grande entreprise.

Ingénieur des Mines de Nancy, j'ai choisi IBM à la sortie de l'Ecole. Je me suis dit que l'informatique était un secteur plein de promesses et que si je choisissais de travailler dans ce domaine, mieux valait être chez IBM.

Aujourd'hui, quelques années ont passé et je ne regrette pas ce choix. Tout a commencé par une bonne formation très diversifiée : gestion, économie, technique, partagée entre mon agence et le centre d'éducation.

Dans cette agence je suis donc devenue ingénieur technico-commercial. J'y ai trouvé une ambiance et des conditions de vie que l'on n'imagine pas dans une multinationale. Surtout une grande liberté dans l'organisation de mon travail dont je suis pleinement responsable. Et aussi des rapports simples et directs avec la hiérarchie. En fait, j'ai souvent l'impression d'exercer une profession libérale, tout en

bénéficiant des avantages d'une grande entreprise. Il y a le travail en équipe aussi, avec l'ingénieur commercial, au service des clients qui me sont confiés et que je connais bien. J'ai un rôle d'assistance, de formation, de conseil. Je définis avec eux ce qu'ils vont faire de leur système et comment ils vont le faire, je les aide au démarrage, puis j'assure le suivi.

Mon avenir ? Pour l'instant je suis très bien là où je suis, car je continue d'apprendre beaucoup de choses : c'est d'une grande variété intellectuelle.

Je pourrai, si je le désire, poursuivre dans cette voie ou au contraire changer l'orientation de ma carrière et me tourner vers le marketing, le labo ou le management. Tout est possible.

Bien sûr, aucune entreprise n'est parfaite, mais je pense quand même avoir fait un très bon choix.

Catherine CHEN
Mariée - 2 enfants
Ingénieur technico-commercial IBM

Comment devenir ingénieur technico-commercial IBM ?
Posséder une formation Grande Ecole d'ingénieurs ou de commerce, être débutant ou avoir une première expérience professionnelle.
Nous vous demandons aussi d'accepter le principe de la mobilité géographique et d'avoir de bonnes connaissances en anglais. Des postes sont à pourvoir à Paris et en province.

J.P. Astor recevra avec intérêt votre candidature.
IBM France (réf. CEC 01)
2, rue de Marengo - 75001 PARIS

9. Une idée soutenue par Pierre Rosanvallon, auteur de « La Question syndicale » : « Les ouvriers ne sont plus exclus comme classe. D'ailleurs ils ne constituent plus un bloc homogène, un nœud social, central ». A l'appui, la disparition progressive de ce qui était, dans le passé, leurs particularités culturelles. Elles les soudaient en dépit des différences de métier ou de salaire : un langage, un style d'habillement, des lieux de rencontre et d'habitat communs. « Désormais, ils voient les mêmes films, les mêmes matches, ils portent les mêmes vêtements que tous les autres. »

L'Express, 29 avril 1988

10. La vieille opposition culturelle et sociale entre « bourgeois » d'une part, « artistes » ou « bohèmes » de l'autre, n'a plus cours, sauf peut-être dans la tête de certains intellectuels de gauche. Elle a été remplacé par des oppositions diverses : jeunes/vieux, hommes/femmes, hétérosexuels/homosexuels, etc. Quant à l'opposition bourgeois/prolétaires, la différence de classes qui a été mise à toutes les sauces militantes, elle a perdu de sa puissance d'intimidation. Les classes existent, on le reconnaît. Mais on pense sans indignation que, par leurs revendications, les ouvriers visent à accéder à un mode de vie qui n'est plus spécifiquement « populaire ».

Le Monde, 28 avril 1983

11. ...dans la petite bourgeoisie dont je suis issu, on m'a toujours enseigné, par la théorie et par l'exemple, je le précise, la croyance en Dieu mais la tolérance, le culte de la famille et le plaisir de s'y retrouver, le dévouement, l'esprit civique allant jusqu'à l'acceptation du sacrifice suprême lorsqu'il y va de la survie de la nation, la pratique de la charité, le sens de l'économie opposé au gaspillage, la courtoisie à l'égard de tous, la déférence envers les dames (même s'il aurait été gênant qu'elles lisent dans nos pensées), le respect d'autrui. Et là aussi j'en oublie. Seul peut-être le travail n'était-il pas considéré comme un but et un épanouissement, comme on a réussi à nous le faire croire jusqu'à l'intoxication, mais seulement comme une obligation matérielle et un simple moyen.

Dans une lettre au *Monde*, 28 avril 1983

III. Des inégalités qui durent

Il y a eu incontestablement une homogénéisation du mode de vie sous l'effet des facteurs évoqués plus haut. Avec plus d'argent à dépenser, et de plus en plus de publicités, de télévision et de cinéma pour proposer des modèles de comportement et d'aspiration plus uniformes, il était peut-être inévitable que les Français se ressemblent de plus en plus en ce qui concerne leurs vêtements, la nourriture, l'équipement de leurs maisons, leurs voitures, leurs loisirs, leurs espoirs pour leurs enfants, etc.

Cela dit, il y a et il y aura sans doute toujours des différences, dues à l'argent dont on dispose, mais aussi au goût de se distinguer (après le téléviseur en noir et blanc, la couleur, puis le magnétoscope, l'ordinateur, le disque compact, etc.). Et même si chacun a sa définition des différences acceptables ou inacceptables, de ce qui constitue une inégalité, la plupart des observateurs reconnaissent qu'un système qui comporte des différences peut être néanmoins juste ou relativement juste, que « égal » ne veut pas nécessairement dire « identique » (ni « différence », « inégalité »). Nous estimerons ici qu'il y a inégalité quand des différences ou des disparités sont particulièrement fortes, systématiques ou/et créent la sur-représentation d'un groupe par rapport à un autre. Il est donc important de mieux les connaître pour comprendre ce qui distingue un Français d'un autre.

Nous avons déjà vu des différences externes — par âge, sexe, origine ethnique ou lieu d'habitation, par exemple — qui ne sont pas directement le fait des groupes sociaux mais qui s'ajoutent aux autres différences, et nous en verrons d'autres à propos de l'économie et la politique. Il y a aussi des différences internes, à l'intérieur des groupes (salaire, conditions de travail, statut, degré de responsabilité, etc.). C'est justement pour en tenir compte que la définition des catégories officielles a été changée en 1982, même si un certain nombre d'entre elles existent encore. Que peut-on donc considérer comme les différences qui représentent des inégalités ?

12. Pour chacun des domaines suivants, pensez-vous que, depuis dix ans, les distances entre les différentes couches de la société ont plutôt tendance à augmenter ou plutôt à diminuer?

En %	Ont plutôt tendance à augmenter	Ont plutôt tendance à diminuer	Sans opinion
Le niveau de vie			
Avril 1983	36	50	14
Décembre 1976 (rappel)	*45*	*45*	*10*
La façon de s'habiller			
Avril 1983	23	58	19
Décembre 1976 (rappel)	*26*	*62*	*12*
La possibilité de s'élever dans la hiérarchie sociale			
Avril 1983	30	45	25
Décembre 1976 (rappel)	*34*	*47*	*19*
L'accès à l'université			
Avril 1983	28	47	25
Décembre 1976 (rappel)	*34*	*48*	*18*

L'Expansion, 6 mai 1983

1. LES INÉGALITÉS DEVANT L'ARGENT

Nous verrons au chapitre suivant que l'« éventail » des salaires en France est l'un des plus ouverts du monde industrialisé, et que la situation est aggravée quand on tient compte du revenu et du patrimoine.

2. LES INÉGALITÉS DEVANT LA SANTÉ

Selon son appartenance sociale, on est plus ou moins malade, plus ou moins bien soigné, et on a une espérance de vie plus ou moins longue. Ainsi, à 35 ans un cadre supérieur, ingénieur ou professeur a une espérance de vie d'encore 42 ans environ ; l'employé de 38 ans et demi, et l'ouvrier de 37,2.

> **13.** « Vous avez dit : Insécurité ? Pouvez-vous me donner la liste des catégories de personnes qui courent les plus grands risques de mort prématurée ou d'invalidité ?
>
> A première vue, et sans avoir fait de statistique, je dirais : les buveurs d'alcool, les fumeurs, les victimes d'accident de la route (piétons, cyclistes, automobilistes...), les drogués, les chômeurs, les immigrés.
>
> Dans une lettre au *Monde*, 5 juin 1986

3. DEVANT LES ÉTUDES ET LA CULTURE

Certes, l'augmentation démographique spectaculaire de l'après-guerre et le prolongement de la scolarité obligatoire ont mis beaucoup plus de Français à l'école pendant plus longtemps, mais il est vrai aussi que les inégalités anciennes en ce qui concerne l'instruction et la culture se sont déplacées plutôt que de disparaître. Ainsi, ce sont surtout les enfants d'ouvriers et d'immigrés qui quittent l'école à 16 ans, et plutôt les fils de cadres supérieurs et des professions libérales qui sont surreprésentés à l'université et plus encore dans les grandes écoles.

4. DEVANT LES ACTIVITÉS DE LOISIRS ET LES VACANCES

Certains peuvent trouver que c'est un peu l'effet logique de l'inégalité devant l'argent et la culture, d'autres qu'il s'agit moins d'inégalités que de différences plus ou moins fortes. Celles-ci sont en tout cas intéressantes.

Les loisirs par catégories socio-professionnelles

Catégories socio-professionnelles individuelles des actifs	Lecture de plus de 20 livres (8)	Concert classique (10-7-8)	Théâtre (8-7)	Cinéma (6-8)	Musée (8-7)	Ecoute de la TV (2)	Lecture d'un quotidien (1)
Cadre supérieur et prof. libérales	51	28	33	45	61	68	47
Cadres moyens	45	18	25	42	53	71	44
Employés	31	7	9	32	33	77	40
Ouvriers qualifiés, contremaîtres	23	6	7	24	23	82	43
Ouvriers non qualifiés, personnels de service . .	20	3	4	19	19	79	37
Patrons de l'industrie et du commerce	21	8	13	28	33	73	55
Agriculteurs, exploitants et salariés	12	5	3	9	17	36	

Source : enquête sur les pratiques culturelles. 1981. Ministère de la culture. Données sociales 1984.

1) Tous les jours.
2) Un jour sur deux au moins.
6) Plus de dix fois.
7) Au moins une fois.
8) Au cours des douze derniers mois.
10) Concert de « grande musique » joué par des professionnels.

Évolution des taux de départ en vacances, selon la catégorie socioprofessionnelle de la personne de référence du ménage

CSP DU CHEF DE MÉNAGE	1964	1975	1985	NOMBRE MOYEN DE JOURS DE VACANCES EN 1985
Autres actifs	67,4	71.8	71.3	30,7
Professions libérales, cadres supérieurs	86,6	89,6	90,8	36,7
Employés	62,7	64,9	66,9	26,2
Cadres moyens.	73,6	82,2	85,3	31.5
Ouvriers	44,3	50,3	51,9	24,2
Personnels de service	49,5	49,9	54,5	26,5
Artisans, commerçants, chefs d'entreprise	47,5	58,1	59,2	22,6
Ensemble	43,6	52,5	57,5	29,2
Inactifs	31,7	34,9	43,9	35,3
Exploitants, salariés agricoles	11,9	14,7	22,2	13,3

Données Sociales, 1987

5. DEVANT LA SÉCURITÉ PROFESSIONNELLE

Nous l'avons vu, il y a des secteurs de l'économie qui sont beaucoup plus modernes que d'autres, des entreprises où les employés sont mieux protégés que dans d'autres, souvent grâce aux syndicats. De façon plus classique, ceux qui travaillent dans le secteur privé sont bien moins sûrs de garder leur emploi que les fonctionnaires. En effet, il ne faut pas oublier la place très importante de l'Etat comme employeur : plus de 25% des salariés travaillent dans le secteur public. Tous ces aspects prennent une importance considérable en période de crise économique et de chômage, et certains estiment même qu'il est aussi pertinent de comparer les travailleurs en termes de sécurité d'emploi qu'en termes de salaire. D'ailleurs, en 1983, 57% des Français trouvaient que malgré la crise il ne fallait en aucun cas toucher aux « avantages acquis » (par exemple la garantie de l'emploi, le droit de prendre sa retraite plus tôt, des prix garantis), et à 79% d'entre eux la sécurité de l'emploi paraissait plus importante que la réussite financière.

---

14. Redistribuons les revenus, réduisons les écarts de salaires, taxons les grandes fortunes, égalisons les chances, répartissons le travail ! Malgré sa volonté éminemment respectable de donner une vigueur nouvelle au tandem égalité-fraternité, la France socialiste passe sous silence une autre forme d'injustice : l'inégalité devant le risque. Risque du chômage, de la baisse brutale du pouvoir d'achat, de la mobilité involontaire – professionnelle ou géographique –, de la perte du statut social... La sécurité économique est chez nous la chose la moins bien partagée (...)

L'Expansion, le 4 décembre 1981

16. ...on a en réalité deux fois plus de chances d'être salarié du public lorsque son père y travaillait déjà. Cette propension à la reproduction, qui soit dit en passant n'est sans doute pas étrangère à l'extraordinaire clivage de la société française entre secteur public et secteur privé, est d'autant plus important qu'on grimpe dans la hiérarchie...

Dans la période actuelle de fort chômage, le fonctionnariat apparaît à une proportion écrasante de Français – qui ne lui ménagent pas pour autant leurs critiques – comme un refuge très désirable. Il y a quelques mois un sondage ne révélait-il pas que 52 % de Français souhaitaient voir leurs enfants choisir le public plutôt que le privé ?

Le Monde, 8 janvier 1984

17. *Estimez-vous que votre vie professionnelle déborde exagérément sur la part de votre existence qui devrait être consacrée à votre famille, à vos loisirs, à votre vie personnels ?*

Un dirigeant sur deux répond non ; un sur quatre estime que ces débordements sont « permanents », et un sur quatre « fréquents ». Quelles formes principales prennent-ils ? Travaux divers et rendez-vous le soir ou pendant les week-ends, prolongement tardif de la journée de travail, interruption des congés... Il en résulte, selon l'aveu des intéressés, de l'irritation, des regrets, des frustrations, un sentiment de culpabilité.

Les deux tiers des dirigeants disent avoir déjà pris – ou souhaitent prendre – des mesures : par exemple, ne pas emporter de travail à la maison, respecter les horaires et les congés, mieux organiser son temps, voire, plus en profondeur, ajuster ses ambitions et déléguer davantage.

Mais il y a aussi ceux qui considèrent ces tiraillements comme « normaux », ou même « enrichissants ». « La vie est ainsi faite, dit l'un. Il faut utiliser ces interférences à son profit et à celui de l'entourage. Il suffit de savoir les contrôler, et supprimer celles qui perturbent vraiment. »

L'Expansion, 20 février 1987

6. DEVANT LA MOBILITÉ SOCIALE

Il s'agit en un sens de l'inégalité des inégalités, puisque c'est celle qui empêche, ou rend très difficile, le passage d'un groupe vers un autre plus favorisé. C'est une question extrêmement complexe, et un sujet qui provoque des discussions politiques et idéologiques très intenses.

On peut cependant assez bien résumer la situation en disant :

1) que la société française est une société où la « reproduction » est assez forte, c'est-à-dire où la situation professionnelle du fils « reproduit » souvent celle du père ;

2) que le degré de reproduction diminue si on mesure la mobilité sur plus d'une génération (de grand-père à petit-fils, par exemple) ;

3) qu'il y a bien plus de mobilité d'une catégorie à une autre que de groupe à groupe (la première est une mobilité socio-professionnelle, la seconde une mobilité sociale) ;

4) qu'il y a plus de mobilité au niveau moyen qu'en haut ou en bas de l'échelle sociale.

Il est donc beaucoup plus courant de voir un fils de cadre supérieur devenir médecin, par exemple, ou un fils d'ouvrier rester ouvrier, que de voir un fils d'employé devenir patron (mais il peut devenir instituteur, par exemple). Pour les Français nés entre 1918 et 1938, le taux de reproduction totale est à peu près 40 % : 30 % pour les cadres moyens, 41 % pour les agriculteurs exploitants, 43 % pour les cadres supérieurs et professions libérales, 57 % pour les ouvriers.

Pour essayer de décrire ces mécanismes, et en particulier d'expliquer pourquoi l'école n'a pas plus d'effet sur la rigidité sociale (c'est plutôt l'inverse), on parle souvent en termes de capital, par analogie avec l'économie (le capital scolaire = les études que l'on a faites) :

- le capital économique : l'argent au sens classique, mais en se rappelant qu'il s'agit aussi de revenu (= d'autres sources d'argent) et de patrimoine (ce dont la famille a hérité) ;

- le <u>capital culturel</u> : 1) tout ce qu'on a appris indépendamment de l'école mais qui est très utile dans une société où les références culturelles sont importantes ; 2) ce que l'on sait du fonctionnement du système éducatif, et comment en profiter au maximum ;
- enfin le <u>capital social</u>, ou l'ensemble de vos connaissances et relations personnelles (surtout celles des parents), ceux qui peuvent non seulement vous informer et vous conseiller sur les mécanismes sociaux mais aussi vous aider quelquefois à trouver une situation.

Les études montrent que dans l'ensemble le système social français fait avancer le mieux <u>ceux dont le capital culturel est élevé</u>, en grande partie parce que les critères majeurs du système éducatif — surtout la compétence linguistique (très tôt) et le maniement des abstractions — ne sont pas socialement neutres mais favorisent les enfants déjà favorisés socio-économiquement. (Comme de plus il est important de savoir orienter son enfant dans le système éducatif, les enfants de professeurs sont doublement favorisés.)

Les enfants de milieu culturellement favorisé sont ainsi sur-représentés :

- parmi les élèves qui sont « à l'heure » (c'est-à-dire qui n'ont pas redoublé) ;
- au bac C (plutôt que dans l'enseignement technique, par exemple) ;
- à l'université, dans ce qu'on appelle les « disciplines d'avenir » (sciences, sciences humaines, gestion, plutôt qu'en lettres) et parmi ceux qui obtiennent des diplômes au lieu d'abandonner ;
- et dans les grandes écoles.

Une sorte d'exception qui confirme la règle : chez les ouvriers, le rôle d'une mère institutrice semble beaucoup jouer dans les chances de mobilité sociale de ses fils. Elle connaît le monde de l'école et peut mieux préparer et aider son enfant. Mais comme on mesure encore la mobilité selon la C.S.P. du père (!), il est difficile d'établir l'importance de ce phénomène.

18. « Dans la société, il existe des couches différentes. Ah, oui, des ! Il y a déjà les ouvriers, et dans les ouvriers eux-mêmes, il y a beaucoup de couches différentes. Il y a l'ouvrier qui fait attention, qui sait gérer son argent. Ce qui est rare chez l'ouvrier. L'ouvrier demande toujours de l'argent, mais il ne sait pas le gérer. Il veut faire comme le riche. Si des oranges arrivent sur le marché, ou n'importe quoi : ''Pourquoi que les gosses de riches auraient des oranges et pas les miens ?'' Ils vont chercher des oranges, mais ils n'en ont pas les moyens. Et arrivé au quinze, il n'y a plus de sous. C'est la couche la plus basse des ouvriers. C'est ce que je te disais avant : j'ai des copains qui ont commencé comme moi, ils sont en H.L.M., ils n'ont rien, rien, qu'un vélo, ils n'ont même pas une voiture.

« Au-dessus, il y a ceux qui font attention à leur argent. Admettons que j'en fasse partie maintenant. Je peux aller acheter un kilo d'oranges sans défaire le budget parce que je sais que j'irai jusqu'à la fin du mois avec. On a une certaine prévoyance. C'est là que certains ouvriers te jalousent parce qu'ils disent ''bien sûr, ils ont des sous, ils font ceci et cela.'' Mais bien souvent, c'est des ouvriers qui gaspillent, il rentre chez eux plus d'argent que chez les ouvriers qui font attention.

« Après, les bourgeois. Chez les bourgeois, c'est simple. Maintenant on dit un bourgeois. Mais les fonctionnaires sont des bourgeois, ils ont tout d'assuré. Les fonctionnaires, c'est pire que les bourgeois. Parce que les bourgeois, dans mon temps, quand j'étais jeune, ils avaient une certaine maison, certains revenus. Ils pouvaient jouir de ces revenus. Un ouvrier gagnait 250 F par mois, eux avec leurs revenus, ils avaient 550 F. Tandis que maintenant, les bourgeois en France, ce sont les fonctionnaires. Ils ont tout d'assuré alors mentalement, ils sont devenus des bourgeois... Moi, j'ai un bon métier. Mais si j'avais eu des sous, et un certain niveau d'instruction, je me serais établi à mon compte. En quinze ans, tu as fait fortune. Tu emploies deux, trois gars, tu leur donnes l'argent que tu dois leur donner, le minimum, et c'est tout. Il faut agir comme les autres, sinon les autres te bouffent.

In Destray, *La vie d'une famille ouvrière* (Seuil, 1970)

19. Au sein de cet ensemble à la fois homogène et divers, deux groupes prennent un relief très net. Les cadres moyens et supérieurs des entreprises qui se définissent par un diplôme élevé, une compétence professionnelle précise et par une « culture » commune qui est celle de *l'Express*, du *Point* et de *l'Expansion*. Par constraste, les « encadreurs moraux et sociaux » rassemblent les pédagogues, animateurs sociaux, les militants culturels et syndicaux, les assistances sociales et carrières para-médicales (psychologues, kinésithérapeutes, orthophonistes, etc.) dont beaucoup sont fonctionnaires (notamment de l'Éducation Nationale) ou salariés de collectivités locales, d'institutions para-étatiques et d'associations subventionnées. Ils sont, soit en ascension sociale ayant acquis des diplômes supérieurs à ceux de leurs parents, soit en descente sociale, et dans les deux cas déçus de leur position dans la société. Ils se perçoivent comme des redresseurs de la société et de ses maux, lisent *Libération* et *le Nouvel Observateur* et d'ailleurs la transformation de ces deux périodiques montre le changement qu'ils viennent de subir. En effet, ce groupe a été l'inventeur et le diffuseur du style de vie post-soixante huitard dont le concubinage pré-marital a été l'innovation la plus spectaculaire...

Deux tâches vont s'imposer dans la décennie qui vient : inventer le mode de vie de la nouvelle classe de loisirs que représente le troisième âge et réinventer le mode de vie des femmes qui ont un emploi. Or les classes d'âges et la définition des rôles masculin et féminin sont les deux structures les plus discrètes et les plus profondes de toute société. Après la longue période de fabuleux progrès technique et économique que notre société occidentale vient de vivre, il lui reste à achever la mutation sociale qu'elle a entreprise et qu'elle poursuit, sans en prendre une conscience suffisamment claire.

En *La Revue Tocgueville*, 1986-1987

VOCABULAIRE

I. Définissez les termes suivants.

1. population active
2. bourgeois
3. professions libérales
4. secteur tertiaire
5. cadre
6. reproduction
7. capital culturel

II. Complétez les phrases suivantes.

1. Ce qui frappe en ce qui concerne l'ouvrier français ...
2. En ce qui concerne la réussite scolaire ...
3. Non seulement les femmes ..., mais aussi ...
4. Certains groupes sociaux, dont ... , ...
5. Contrairement aux ouvriers, ...
6. Il y a au moins deux questions importantes en ce qui concerne la société française : d'une part ..., d'autre part ...
7. Certes, les Français font des études plus longues qu'autrefois, ...
8. Alors que les fonctionnaires ...

III. Discussion (orale ou écrite).

1. Commentez le dessin de Plantu à la première page du chapitre, et la photo de la page 79.
2. Commentez de près la publicité de la page 79.
3. Quels vous semblent être les deux ou trois aspects majeurs de la société française ? Pourquoi ?
4. Analysez et commentez la vision du monde social exprimé dans le texte n° 18 de la page 88. Constrastez éventuellement avec les extraits n° 18 et 19.
5. Quelles différences, disparités, inégalités existent dans votre société ? Que faudrait-il pour les faire diminuer ou disparaître ?

SPÉCIFIER, CONTRASTER

« ... il est aussi pertinent de comparer les travailleurs en termes de sécurité d'emploi » (p. 82). Nous verrons ici un certain nombre de façons de contraster, c'est-à-dire de comparer et aussi de spécifier en termes de quoi on compare.

Notons d'abord que l'on trouve aussi dans ce chapitre un certain nombre de termes pour grouper :

- des substantifs : *classification*, *classe*, *groupe*, *catégorie*
- des verbes : *comporter*, *composer*, *appartenir*, *comprendre*

On pourra aussi se référer aux notions des chapitres II et III pour d'autres façons de comparer.

SPÉCIFIER

quant à = en ce qui concerne

- «*Quant à l'opposition bourgeois/prolétaires*»*
- « *les salaires se sont beaucoup rapprochés, du moins en ce qui concerne les ouvriers qualifiés* »

il s'agit de ; le fait que

- « *il s'agit de savoir si la personne est salariée ou non* »
- « *on peut l'expliquer par le fait que les femmes travaillent souvent depuis moins longtemps que les hommes* »

on remarque que ; il est important aussi de noter

- « *on remarque que les femmes ont moins vite et moins fréquemment la promotion* »
- « *Il est important aussi de noter l'importance de considérations autres que le salaire* »

ce qui frappe, c'est... = (c'est) surtout ; le plus..., c'est...

- « *ce qui frappe aujourd'hui, c'est combien de petits commerces ont disparu* »
- « *après la deuxième guerre mondiale, et surtout entre 1950 et 1975* »
- « *ce sont surtout les enfants d'ouvriers et d'immigrés qui quittent l'école à 16 ans* »
- « *Le plus important, ce sont les années de croissance* »

non seulement... mais aussi

- « *le Marché Commun est non seulement un plus grand marché mais aussi une source de concurrence* »

en particulier ; dont

- « *leur vie dépend des forces extérieures, en particulier le temps et les saisons* »
- « *les professions intermédiaires, dont les instituteurs* »

c'est-à-dire

- « *les contremaîtres et agents de maîtrise, c'est-à-dire ceux qui sont chargés de contrôler le travail des ouvriers* »

CONTRASTER

X par rapport à Y ; distinguer ; la différence

- « comprendre ce qui *distingue* un Français d'un autre »
- « 36% des femmes travaillaient en 1968, *par rapport à* 45% environ en 1983 »
- « des *différences* dues au goût de se distinguer »

il ne s'agit pas de ; ne pas confondre ressembler à ; contrairement à

- « *il ne s'agit pas* de dire que les ouvriers agricoles ont commencé à travailler dans les services »
- « *il ne faut pas confondre* les professions intermédiaires et les classes moyennes »
- « les conditions de travail des employés ont commencé à *ressembler* à celles des ouvriers »
- « *contrairement à* l'ouvrier, l'employé a fait quelques études »
- « il était peut-être inévitable que les Français *se ressemblent* de plus en plus »

il y a X et X

- « Mais... *il y a* ouvrier *et* ouvrier »
- « il faut se rappeler qu'*il y a* salarié *et* salarié »

d'une part..., d'autre part...
cependant = néanmoins ; alors que

- « le groupe des employés a beaucoup grandi *alors que* les ouvriers continuent de représenter le même pourcentage »
- « il faut noter *cependant* qu'il ne s'agit pas de dire que... »
- « cette situation s'explique *néanmoins* aussi par une discrimination contre les femmes »
- « entre "bourgeois" *d'une part*, "artistes" ou "bohèmes" *de l'autre* »*

En revanche (un contraste)
Cela dit (c'est vrai, mais...)
Certes (ceci est vrai... mais...)

- « *En revanche*, les salaires des employés et des ouvriers se sont beaucoup rapprochés »
- « *Certes*, le prolongement de la scolarité obligatoire a mis beaucoup plus de Français à l'école »
- « *Cela dit*, il y aura sans doute toujours des différences »

EXERCICES

I. Trouvez une autre façon d'exprimer le rapport indiqué par les termes soulignés.

1. Les employés de bureau ont de la chance quant à leurs conditions de travail.

2. Comparés aux chefs d'entreprise, les paysans ont une vie plus traditionnelle.

3. Tous les ouvriers ne se ressemblent pas.

4. Certains groupes sociaux sont favorisés, en particulier les professions libérales.

5. Les différences socio-culturelles sont surtout importantes en France.

II. Complétez le paragraphe avec des termes et des constructions de spécifier et contraster.

. . . dans la société française, ce sont . . . les différences entre groupes sociaux. . . . , les choses vont beaucoup mieux qu'autrefois, mais . . . prospérité et prospérité. L'ouvrier ne . . . pas à l'employé, et il faut aussi . . . entre le cadre supérieur et le chef d'entreprise. . . . les divers groupes ne gagnent pas également leur vie, mais ils ont . . . des styles de vie différents : . . . la consommation et les vacances, par exemple.

III. Récrivez chaque phrase en employant successivement En revanche, Cependant et Cela dit. (Remarquez bien qu'on insiste plus sur ce qui suit la conjonction mais.)

1. Les ouvriers gagnent mieux leur vie qu'autrefois mais leur situation reste difficile.

2. Le paysan part moins souvent en vacances mais son travail est peut-être plus sain (= la santé).

3. Les femmes sont plus nombreuses à travailler mais n'occupent pas souvent des postes de responsabilité.

4. Le cadre supérieur a un certain prestige mais aussi une situation fatigante.

5. Les patrons ont beaucoup de responsabilités mais ils gagnent aussi plus d'argent.

IV. Spécifiez un rapport entre les groupes suivants en vous servant du vocabulaire de spécifier ou contraster.

1. hommes/femmes
2. ouvriers/employés
3. enfants favorisés/les autres
4. paysans/autres Français
5. fonctionnaires/travailleurs du secteur privé

V. En vous servant du vocabulaire de « spécifier et contraster », commentez le tableau des départs en vacances p. 83.

6. ARGENT ET ÉCONOMIE

A. L'ARGENT

On gagne de l'argent pour se faire de l'argent de poche ou gagner sa vie. On peut dépenser cet argent (acheter et payer par chèque, par exemple), l'épargner (= faire des économies, toucher des intérêts sur un compte en banque), ou... le gaspiller. Bien gagner sa vie permet un bon niveau de vie (= être aisé), et si ce qu'on gagne augmente comme le coût de la vie (= suivre l'inflation), on maintient son pouvoir d'achat.

On peut aussi placer son argent en espérant toucher des bénéfices, ou en emprunter pour acheter (à crédit) un appareil ménager, une voiture, une maison ou un appartement, etc. Enfin on paie aussi des impôts sur son revenu et des taxes sur la consommation (= ce qu'on achète).

I. Il y a argent et argent.

Il faut tout d'abord distinguer entre salaire, revenu et patrimoine.

- le salaire : c'est la rémunération d'un travail précis et déclaré – plus de 80% des Français sont salariés ;

- le revenu : c'est l'ensemble de l'argent que l'on touche – salaire, intérêts, loyers, dividendes, etc. ;

- le patrimoine : c'est l'ensemble de ce que l'on possède – l'épargne, l'immobilier, l'or, les terrains, les placements, les œuvres d'art, etc. ; en France la moitié du patrimoine est constituée d'immobilier.

Il y a aussi des revenus non déclarés (donc illégaux) comme le « travail au noir », et on estime généralement que ceux qui touchent des revenus non-salariaux (patrons, professions libérales, artisans et commerçants) ont beaucoup plus la possibilité de sous-estimer leurs revenus que les salariés, dont le revenu est déclaré par le patron. En ce qui concerne le patrimoine, on notera qu'historiquement les Français ont évité de vivre à crédit et ont préféré placer leur argent dans le solide et le durable – par exemple l'immobilier ou l'or – plutôt que dans le spéculatif. Mais il y a eu plus récemment une tendance, due peut-être à l'inflation et à la crise, vers une plus grande consommation et plus d'endettement, et la Bourse a très bien marché dans la première moitié des années 1980.

Enfin, malgré des problèmes de définition et de comparaison, il est généralement admis que l'éventail des salaires, c'est-à-dire la différence entre les salaires les plus bas et les plus élevés, est plus ouvert (= large) en France que dans beaucoup d'autres pays comparables. Ceci est d'ailleurs encore plus le cas pour les revenus et plus encore pour le patrimoine, notamment parce qu'on y compte le patrimoine professionnel (l'équipement et le matériel de travail, par exemple) et que les droits de succession (= l'impôt sur l'héritage) sont relativement faibles en France. Ces différences sont aussi accentuées par les compléments de salaire (primes de vacances, treizième mois, etc.) et les avantages « en nature » (appartement ou voiture « de fonction », domestique, etc.), en particulier pour les cadres et les fonctionnaires d'un certain niveau. Enfin, dernière tendance : le salaire minimum ou SMIC (on dit « smique »), qui touche 8% de la population active salariée, a augmenté presque deux fois plus vite que l'ensemble des salaires depuis quinze ans.

II. La Fiscalité

Les Français restent traditionnellement très discrets sur leurs finances personnelles, mais on les entend souvent se plaindre de payer trop d'impôts. La fiscalité française est en effet lourde par rapport à celle de beaucoup d'autres pays. Il faut cependant distinguer entre impôts directs (sur le revenu) et indirects (sur la consommation). Les impôts directs en France sont très progressifs, avec un taux minimum assez bas (5%) et un taux maximum de 58%. Il existe aussi un certain nombre de façons de réduire son revenu imposable (le nombre d'enfants, par exemple) et cet impôt n'est pas une grande source de revenu pour l'Etat.

Les impôts indirects ne sont pas progressifs, mais des sommes (par exemple, la redevance sur la télévision et la voiture) ; ou des pourcentages (= des taxes) sur le prix des articles − surtout la TVA (= taxe à la valeur ajoutée) : 7%, 18,60% et jusqu'à 33,33% pour les produits de luxe. Ils représentent 45% des recettes de l'Etat. En 1986, le nouveau gouvernement (de droite) a allégé les impôts directs mais a relevé en même temps les prélèvements sociaux. En 1988, le gouvernement socialiste a réinstauré l'impôt sur les fortunes.

1. « Les socialistes, en créant des taux d'imposition déraisonnables qui avaient des allures de sanction sur les contribuables, ont eu tendance à pénaliser l'argent gagné. Depuis 1986, le gouvernement Chirac a eu tendance, lui, à prendre des mesures qui favorisent ceux qui ont la garde de l'argent (par exemple le rétablissement de l'anonymat sur l'or).

En fait, les socialistes ont cru que tous ceux qui gagnaient de l'argent étaient privilégiés, tandis que la droite fait semblant de croire que tous ceux qui ont de l'argent l'ont gagné, ce qui est absurde. Pour moi, tout argent n'a pas la même odeur. »
L'Événement du Jeudi, 1er octobre 1987

2.

CE QUE L'ÉTAT VOUS PREND

Revenu brut du ménage : 273 750 F

Cotisations sociales	38 325 F	Taxes sur la nourriture	
Impôt sur le revenu (3 parts)	26 500 F	— « solides »	1 877 F
Taxe d'habitation	4 000 F	— « liquides »	627 F
Redevance télévision	526 F	Taxes sur l'habillement	3 920 F
Taxes sur l'automobile	8 400 F	Taxes sur les loisirs	327 F
			84 502 F
		Taxes sur dépenses diverses	5 498 F

Total taxes .... 90 000 F

Figaro Magazine, 21 septembre 1985

3.

Si la France est un pays où la pression fiscale totale est très élevée...	Taux des prélèvements obligatoires (fiscalité et charges sociales)
Suède	50,67 %
Pays-Bas	47,02 %
Belgique	46,66 %
FRANCE	44,07 %
Italie	39,90 %
Gde-Bretagne	38,28 %
R.F.A.	37,19 %
Suisse	30,93 %
Etats-Unis	30,46 %
Japon	27,21 %

...l'impôt sur le revenu y est le plus faible, l'impôt sur la consommation le plus élevé...	Taux d'imposition sur le revenu	Taux d'imposition sur la consommation
FRANCE	5,6 %	12,6 %
Japon	6,9 %	3,6 %
Italie*	9,7 %	6,3 %
R.F.A.	10,8 %	9,5 %
Pays-Bas	10,9 %	9,8 %
Suisse	11,0 %	5,6 %
Gde-Bretagne	11,2 %	10,8 %
Etats-Unis	11,5 %	4,6 %
Belgique*	16,9 %	11,4 %
Suède	20,5 %	11,5 %

Taux des recettes fiscales totales par rapport au P.I.B. pour 1983.
(* Pour 1982)   Source O.C.D.E.

(* Concernant ces pays, les pourcentages sont sujets à caution, les revenus déclarés étant souvent sous-évalués.)   Source O.C.D.E.
Nouvel Observateur, 22 février 1985

5. Les revenus de trois familles en 1983

Salaire brut annuel	+ prestations familiales	− cotisations sociales	− impôts	= revenus disponibles
44 853	5 866	6 037	0	44 682
78 498	5 866	10 565	673	73 125
277 452	5 570	31 623	34 825	216 574

Familles de deux enfants de moins de dix ans vivant dans une ville moyenne de province.
Le Matin, 9 novembre 1983

4.

Les impôts en % du produit intérieur brut (année 1982)

	Allemagne	Etats-Unis	France	Grande-Bretagne	Suède
Impôts directs	12,5	13,5	8	15	22
Sécurité sociale	13,5	8,5	19	6,5	14
Impôts indirects	10	5,5	12,5	11,5	12
Divers	1,3	2,9	4,2	6,6	2,3
TOTAL	37,3	30,4	43,7	39,6	50,3

Source OCDE

Les impôts en % du total des prélèvements obligatoires de chaque pays

	Allemagne	Etats-Unis	France	Grande-Bretagne	Suède
Impôts directs (sur les revenus et sur les bénéfices)	34	44,5	18	38	44
Sécurité sociale	36	27,5	43	17	28
Impôts indirects (TVA)	26,5	17,5	30	29	24
Divers	3,5	10,5	9	16 (1)	4
TOTAL	100	100	100	100	100

(1) dont près de 13% pour l'impôt sur le patrimoine
Source OCDE. Année de référence : 1982
Science et Vie Economie, mars 1985

III. *Les Transferts Sociaux*

Il s'agit ici de l'argent qui est « prélevé » sur les salaires (= les « <u>cotisations sociales</u> »), puis redistribué aux citoyens (= les « <u>prestations</u> ») selon leur situation et sous des formes diverses. En 1985, 42% des prestations étaient des allocations-vieillesse, 34% étaient pour la santé, 14% pour la famille, 10% pour le chômage.

Les cotisations sociales (retenues en pourcentage sur les salaires, et donc une forme d'impôt indirect) représentent quatre ou cinq fois plus de recettes que l'impôt sur le revenu. Peu progressifs, elles sont donc une part plus

Evolution de l'éventail des revenus par catégories socioprofessionnelles

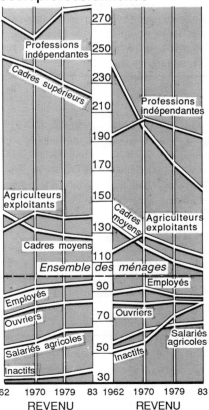

Données sociales , 1987

7. « Il y a une maladie européenne qui n'épargne aucun pays, même pas l'Allemagne. Cette maladie présente trois symptômes.

Premièrement, les prélèvements obligatoires (impôts et cotisations sociales) ont atteint un niveau excessif. L'Europe, sur ce plan, se distingue très nettement du Japon et des Etats-Unis. Nous en sommes en moyenne à plus de 50 % du revenu national. Les Européens travaillent une journée sur deux pour l'Etat et ce qui gravite autour. La socialisation des sociétés européennes est allée beaucoup, beaucoup trop loin.

Deuxièmement, depuis 1974 l'Europe a trop privilégié le court terme au détriment du long terme. Nous avons voulu poursuivre sur notre lancée, ne pas infléchir les rémunérations réelles, le pouvoir d'achat... Il est évident que, si on continue à accroître le pouvoir d'achat pendant que la richesse nationale stagne et que l'on perd des marchés à l'extérieur... on choisit le présent contre le futur.

Troisièmement, les sociétés européennes ne sont pas suffisamment souples, flexibles. Quand il y a crise, redistribution des cartes, compétition accrue, bagarre, il faut être mobile. Les Américains et les Japonais l'ont compris bien avant nous. »

L'Express, 22 février 1985

8. ... les 5,5 millions de juniors, encore appelés « ados » ou « kids », ne pensent qu'à ça, affirment les spécialistes...

Véritables « agents d'influence », ils donnent leur avis sur tout : l'acquisition de la prochaine voiture, le choix du lieu de vacances, l'alimentation... Familiers des nouvelles technologies, ce sont eux qui font entrer l'ordinateur et le Minitel à la maison. Eux encore qui réforment le look des parents, qui font acheter une chaîne au laser, un magnétoscope, ou payer l'abonnement à Canal Plus (chaîne de télévision payante). Dans la liste des achats sur lesquels ils ont le plus d'influence les jouets ne viennent qu'en quatrième position.

Le Point, 9 novembre 1987

grande des revenus plus modestes — quand on les prélève mais aussi quand on les redistribue. Surtout, la crise de ces dernières années a fait augmenter les prestations, qui représentent actuellement plus d'un tiers du revenu des Français. « La redistribution opérée par la protection sociale reste en grande partie un transfert des personnes bien portantes vers les malades, des ménages sans enfants vers les familles, des salariés vers les chômeurs et des actifs vers les retraités » (Données sociales, 1984).

Retenons de tout cela, en ce qui concerne la France, que la somme des prélèvements obligatoires (impôts d'Etat + impôts des collectivités locales + cotisations sociales) est assez élevée ; et que

- l'impôt sur le revenu est relativement faible, mais les impôts sur la consommation sont assez élevés ;

- les cotisations sociales (et les prestations) sont assez importantes, en particulier les charges sur les entreprises (prélevés sur les employeurs) ;

- les prestations sociales sont devenues une part très importante (plus d'un tiers) du revenu des Français.

IV. La Consommation

Enfin, ce qui reste après cotisations et impôts s'appelle le revenu disponible (= dont on dispose, donc que l'on peut dépenser). Grâce à l'augmentation du SMIC et au ralentissement des salaires des cadres, ainsi qu'à l'augmentation de la fiscalité et aux prestations, l'éventail des revenus disponibles s'est beaucoup plus resserré (= fermé) depuis trente ans que celui des salaires (tableau 6). Les tableaux 2, 3 et 5 montrent comment on arrive à ce revenu disponible, et 9 à 11 la consommation et l'équipement des ménages (= couples ou familles) dans le temps et par rapport à d'autres pays.

9. Structure de la consommation des Français (en % de la consommation)

	1963	1973	1984	1990	2000
Alimentation............	30,5	24,5	21	19,5	16,4
Habillement	9,5	8,2	6,4	6	5
Logement	12,9	14,7	16,7	16,7	17,3
Equipement du logement	10,3	10,8	9,2	9,1	9,2
Santé................	7,9	10,7	15,7	16,7	19,3
Transports	10	12,5	12,3	13,4	13,8
Loisirs, culture........	5,8	6,4	7,8	8,9	10,6
Divers	13,1	12,2	10,9	9,7	8,4

Le Point, 8 septembre 1986   1990 et 2000 : valeurs projetées.

10. Taux d'équipement des ménages selon les CSP (décembre 1984, en %)

	Automobile	TV	dont TV couleurs	Réfrigérateur	Machine lave-linge	Machine lave-vaisselle
Agriculteurs	92,2	90	34,5	96,5	92,7	23,4
Industriels, gros commerçants, cadres supérieurs, professions libérales	94,3	89	70,1	98,7	89,8	55,5
Cadres moyens	92,1	90,3	63,2	98,5	86	32,3
Employés	77,9	89,4	57,6	97,7	82,6	19,8
Ouvriers qualifiés	88	94,4	57	98	90,3	17,4
O.S. et manœuvres	77,8	92	50,4	95,7	85,6	10
Ensemble	72,1	91	56,3	96,1	81,7	19,7
Ensemble 1961	*33*	*18*	—	*30*	*28*	—

INSEE

11. Structure du budget 1982

	France	Japon	R.F.A.	Royaume Uni	Etats-Unis
1. Alimentation	21,1	25,0	18,7	21,7	16.5
2. Habillement	6,6	6,8	8,2	6,8	6,9
3. Logement	17,0	18,2	16,5	21,6	20,3
4. Equipement du logement	9,3	5,9	9,6	7,1	6,4
5. Santé	12,8	9,8	14,1	0,9	11,6
6. Transports-communications	13,6	9,3	14,6	15,0	17,1
7. Loisirs	6,5	8,8	7,8	10,4	8,2
9. Biens et services divers	13,1	16,2	10,4	17,0	13,0

Eurostat

B. L'ÉCONOMIE

Nous évoquerons ici comment la France « produit » de l'argent, en particulier la place de l'Etat dans l'économie française et la place de celle-ci dans l'économie mondiale ; et comment l'économie française a évolué depuis la deuxième guerre mondiale.

I. Le Rôle de l'Etat

Un des aspects les plus distinctifs de l'économie française, c'est la place historique qu'y occupe l'Etat.

1. Tout d'abord, celui-ci a ou a eu le contrôle ou un intérêt prépondérant dans plusieurs secteurs-clefs :

- l'énergie, notamment le gaz et l'électricité, et la production de l'énergie nucléaire (plus de la moitié de la production énergétique) ;
- le crédit, avec la plupart des banques et des compagnies d'assurance ;
- les transports : la SNCF (chemins de fer), Air France et Air Inter (lignes aériennes), la RATP (le métro parisien) ;

Le métro français de Caracas.

- **les services publics** : les PTT (la poste et le téléphone, les télécommunications), les hôpitaux, plus de 80% du système scolaire et plus encore du supérieur ;
- **certaines branches de l'industrie**, par exemple la construction aéronautique, les voitures Renault, et de 1981 à 1986 un grand nombre de entreprises chimiques, sidérurgiques (= l'acier) et d'électronique.

Le secteur public français est ainsi un des plus développés des pays occidentaux puisque un tiers des investissements proviennent de l'Etat, les dépenses publiques représentent plus de 50% du produit intérieur brut et environ 25% de la population active y travaillent. Cet « étatisme » a été renforcé par des nationalisations (= l'Etat prend le contrôle) en 1936-38 sous le Front populaire (coalition de gauche), après la deuxième guerre en 1945, et en 1981-82 avec l'arrivée des socialistes au pouvoir. En particulier, les socialistes ont nationalisé un certain nombre d'entreprises du secteur concurrentiel, c'est-à-dire qui n'étaient pas des monopoles de service public comme l'électricité-gaz ou les chemins de fer, mais des entreprises en compétition avec les autres pays. La droite, devenue majoritaire à partir de 1986, a beaucoup « privatisé » (= dénationalisé) dans le secteur industriel et bancaire, pour obliger les entreprises à vivre selon les lois du marché. Il n'était plus question pour les socialistes de renationaliser en 1988.

Enfin, il faut éviter de confondre Etat et gouvernement, car la place centrale de l'Etat est d'abord un phénomène historique, qui remonte au moins au XVIIe siècle (sous Louis XIV), plutôt que directement politique.

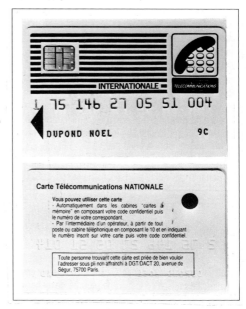

Une carte à mémoire des PTT.

2. LE PLAN

L'Etat français cherche, dans une perspective « dirigiste » (= le dirigisme), à établir les priorités économiques et à rendre l'économie la plus cohérente possible. Le Commissariat au Plan a été créé après la deuxième guerre pour sortir la France de sa situation désastreuse, mais un autre facteur semble avoir été le souvenir de la crise économique des années 1930, qui pour beaucoup de Français

12. « La plus grande plaie, c'est les entreprises nationalisées. On arrive à huit heures et demie dans une entreprise nationalisée, les gens font la queue devant le distributeur de café jusqu'à neuf heures. A neuf heures, ils lisent leur journal. A neuf heures et demie, ils donnent quelques coups de fil personnels, après ils vont faire leur pipi, puis ils fument leur cigarette jusqu'à dix heures en attendant le premier service à douze heures et, à quatre heures, c'est fini, on ne travaille plus. C'est le bordel et c'est vous et moi qui payons... »

In Boltanski, *Les Cadres* (Editions de Minuit, 1982)

13. « Aux yeux des intégristes libéraux, la fonction publique est globalement parasitaire, pléthorique et inefficace. En réalité, son expansion a bien contribué au progrès social. On imagine mal, surtout en France, l'initiative privé répondant aux besoins nouveaux en matière de santé, d'éducation, de sécurité, de recherche ou d'aide sociale. Une régression administrative n'est donc ni souhaitable ni probable dans l'avenir. Une expansion non plus. Le simple recrutement n'est qu'une fuite en avant : quand on engage plus de fonctionnaires, c'est généralement qu'on les utilise mal. La vraie réforme administrative, ce serpent des mers, consiste à améliorer la productivité des services et la satisfaction des administrés sans accroître les effectifs et les budgets. »

Nouvel Observateur, 1984

14. A comme assurance, B comme bureaucratie, comme bénéfice parfois, rarement comme bonheur, C comme certitude, mais aussi comme contrainte... On pourrait continuer longtemps l'alphabet des images de la Sécurité Sociale dans l'opinion publique mises en lumière par diverses enquêtes ces dernières années. Images contradictoires : elles juxtaposent l'attachement à l'idée de sécurité sociale, ou du moins aux avantages qu'elle apporte (la certitude des prestations, précisément), la conviction de sa nécessité et des critiques qui n'épargnent ni son fonctionnement, ni ses effets, ni l'obligation sur laquelle elle repose.

Le Monde, 29 septembre 1986

étaient l'effet d'un capitalisme incontrôlé. Il faut cependant remarquer que le Plan français est établi par concertation (entre l'Etat, le patronat et les syndicats) et qu'il est indicatif et non impératif, c'est-à-dire qu'il propose plutôt que d'imposer des objectifs économiques. Ainsi, depuis 1945 les Plans ont eu pour buts successifs la reconstruction, l'amélioration de la production agricole, le développement de la productivité, l'adaptation à la concurrence internationale, l'industrialisation, etc.

Enfin, dans la perspective du Plan, l'Etat peut aider (donc orienter) l'économie grâce à des prêts ou des subventions (= le financement), des commandes (= achats), des réglementations (par exemple, la fixation des prix et du salaire minimum, ou la dévaluation du franc), etc.

Il est important de remarquer, en ce qui concerne la place d'un Etat dirigiste, et malgré la réputation d'inefficacité de ceux qui travaillent pour l'Etat (= les fonctionnaires), qu'il y a aussi en France une grande tradition de service public, qu'en particulier grâce aux grandes écoles la France possède une équipe de hauts fonctionnaires de premier ordre que beaucoup d'autres pays lui envient. De plus, il y a des entreprises efficaces et d'autres qui le sont moins, dans le secteur public comme dans le secteur privé.

3. L'ÉTAT-PROVIDENCE

Enfin, comme ailleurs dans les pays industrialisés, l'Etat français s'est de plus en plus occupé d'un certain nombre de secteurs de la vie des Français en cherchant à les protéger mieux que le secteur privé ne le faisait ou qu'ils ne pouvaient le faire eux-mêmes (= l'Etat-Providence). La Sécurité Sociale en particulier s'occupe de la santé, de la famille (les allocations familiales) et de la retraite. Ainsi, elle verse des allocations en cas de maladie ou d'accident de travail, elle rembourse les frais médicaux, elle assure un « minimum vieillesse », etc.

En France, les hôpitaux comme les médecins sont — ou non — « conventionnés », c'est-à-dire pratiquent des tarifs établis par la Sécurité Sociale, qui rembourse un pourcentage de cette somme (75% en moyenne). Dans les cas non-conventionnés le tarif est plus élevé mais la Sécurité Sociale rembourse toujours selon le tarif conventionné.

Les dépenses de santé ont augmenté beaucoup plus vite que le coût de la vie (6 fois en trente ans) et, nous l'avons vu, en période de crise – depuis 1973, par exemple – les « prestations sociales » deviennent une partie de plus en plus importante de l'économie. Mais en même temps, comme ce sont ceux qui travaillent qui financent la Sécurité Sociale avec leurs cotisations, plus il y a de chômeurs moins il y a de cotisations (et plus il y a d'allocations-chômage à verser).

De plus, la baisse démographique, l'abaissement de l'âge de la retraite à 60 ans et une plus grande espérance de vie font que moins de travailleurs doivent financer plus de retraités et pendant plus longtemps. La Sécurité sociale doit donc chercher à augmenter ces recettes et diminuer ses dépenses, pour faire des économies et résoudre ces problèmes de financement actuels (= le déficit).

II. L'Evolution de l'économie française

1. LES SECTEURS

Comme nous l'avons vu dans les chapitres sur l'espace et les groupes sociaux, la France a connu depuis la guerre des transformations profondes dans les secteurs primaire (l'agriculture), secondaire (l'industrie) et tertiaire (les services).

L'agriculture a été transformée par une plus grande productivité et une nouvelle efficacité, ce qui a provoqué un véritable exode rural et réduit en l'espace d'une génération la part de la population active consacrée a l'agriculture de 25% à 7%.

Le secteur tertiaire, celui des services, a connu pendant la même période une très forte expansion. Ce secteur comprend par exemple les transports et télécommunications, les commerces, les banques, les assurances, l'éducation, les administrations publiques. Son accroissement correspond à l'extension du secteur public, mais aussi à une demande de services plus forte de la part des individus, dans le domaine des loisirs et du tourisme par exemple. Enfin, autre évolution à signaler dans ce sec-

EXPORTATIONS PAR HABITANT EN 1986
(en dollars US)

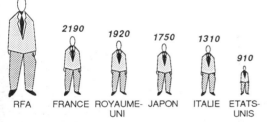

| 3940 | 2190 | 1920 | 1750 | 1310 | 910 |
| RFA | FRANCE | ROYAUME-UNI | JAPON | ITALIE | ETATS-UNIS |

La France est le quatrième exportateur mondial ,
le deuxième par habitant .

L' Express, 2 octobre 1987

15. « L'industrie française présente des faiblesses dans les secteurs les plus actifs du commerce mondial et représentant les marchés les plus importants au début des années 80 : bien d'équipement, biens électroménagers, électronique. Plus généralement, nous ne disposons que de peu de points forts (transport, matériel militaire), contrairement à la RFA ou au Japon. L'industrie française est plutôt moyenne dans tous les secteurs. Cette structure la rend plus vulnérable à terme et surtout plus sensible aux phénomènes monétaires.

Michel Noir, Ministre du commerce extérieur, 11 août 1987

teur, la baisse du nombre de petits commerces (surtout dans l'alimentation), la multiplication des boutiques spécialisées, et surtout l'extension des « grandes surfaces » et « hypermarchés », vastes magasins situés le plus souvent en banlieue et où on trouve toutes sortes de produits à des prix plus bas que dans les petits commerces. 10% des magasins d'alimentation réalisent 83% du chiffres d'affaires (= recettes).

Les paysans qui ont quitté la campagne l'ont fait aussi à cause de l'attrait de l'industrie. En effet, l'industrie française est très bien placée par rapport à d'autres pays du monde, derrière les Etats-Unis, la R.F.A. et le Japon, et devant la Grande-Bretagne et l'Italie. Comme l'économie dans son ensemble, l'industrie française a fait d'énormes progrès après la guerre, grâce en particulier à un très grand effort de modernisation d'une part, et ensuite à l'adhésion de la France au Marché Commun (= CEE) à partir de 1958. Dans le même mouvement, la France est passée d'un pays tournée sur elle-même et économiquement protectionniste à un pays pour lequel l'exportation et les marchés internationaux comptent beaucoup.

Il faut donc qu'elle reste compétitive, et bien entendu elle le fait mieux dans certains domaines que dans d'autres. Comme ailleurs dans le monde industrialisé les secteurs industriels traditionnels — l'automobile, la sidérurgie, le textile — déclinent à cause de difficultés de production mais surtout sous l'influence de la concurrence du Tiers Monde. Cependant certains problèmes très durables sont sans doute plus spécifiquement français :

• une relative pauvreté — et donc une dépendance — énergétique (ce qui a entraîné le développement de l'énergie nucléaire) ;

• des investissements insuffisants (les Français semblent préférer la consommation, et d'autres formes de placement, l'immobilier par exemple) ;

• des prix qui ne sont pas toujours compétitifs, une situation qui semble due plutôt à une inflation constante (enfin maîtrisée en 1985-86) et un équipement vieilli, qu'à un manque de productivité ou à des salaires trop élevés ;

- des <u>difficultés</u> (culturelles ?) <u>pour vendre ses produits à l'étranger</u> (s'adapter à la demande et respecter les pratiques commerciales locales) ;

- une trop grande place faite aux marchés du Tiers Monde (qui manquent facilement de moyens pour acheter) ;

- un <u>effort de recherches et d'innovation insuffisant</u>, et une difficulté à mettre en application et à commercialiser les résultats des recherches, peut-être à cause d'un trop grand perfectionnisme, un amour de l'objet très perfectionné mais par conséquent très ou trop cher.

<u>Les grandes réussites françaises se situent plutôt — certains disent trop exclusivement — dans les « secteurs de pointe »</u> (= tournés vers l'avenir) : l'énergie nucléaire ; la recherche médicale ; les télécommunications ; l'aéronautique et la recherche spatiale (des coproductions comme l'Airbus et la fusée Ariane) ; la recherche pétrolière ; l'informatique (le traitement électronique des informations = l'ordinateur) et la télématique (jonction du téléphone et de l'informatique = le Minitel) ; enfin le célèbre TGV (train à grande vitesse) et le métro que les Français ont exporté ou contruit dans beaucoup de villes du monde. A côté de cette France un peu romantique ou nostalgique — la France des villages, de la gastronomie, de la mode — que l'on retrouve sur les affiches de tourisme et dans certaines publicités, il en existe donc une autre très moderne et qui contribue au monde de demain. De plus, il faut remarquer que l'Etat et le secteur public ont leur part dans chacune de ces réussites.

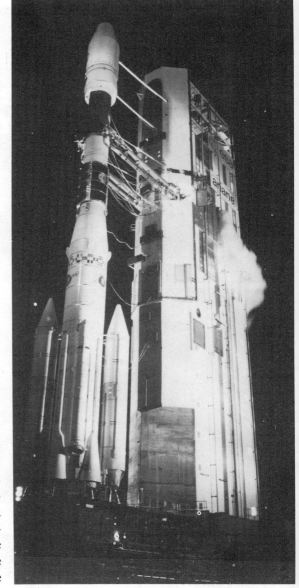

Ariane 4 · vol 22 · juin 1988

17. Dès septembre 1972, à l'occasion d'une conférence de presse à l'Elysée, le président peut lancer ce cri de victoire : « Chère vieille France ! La bonne cuisine ! Les Folies-Bergères ! Le gai Paris ! La haute couture et de bonnes exportations de cognac, de champagne, de bordeaux ou de bourgogne ! C'est terminé ! La France a commencé et largement entamé une révolution industrielle ! » Et, pour symboliser cette entrée de la France dans la « modernité », comme on dit aujourd'hui, le président mûrit son grand dessein : le Centre Pompidou qui, dit Michel Guy, « a changé le regard des Français sur l'art moderne et changé le regard de l'étranger sur la France ».

Le Figaro, 2 avril 1986

16. ...le pari est gagné, et après dix ans d'expériences, il l'aura été au cours de cette année 1986. La télématique est devenue un marché solvable — ce qui la distingue de l'avion Concorde, autre victoire de la technologie française. Deux millions et demi de Minitel sont installés. La France constitue ainsi un laboratoire télématique en vraie grandeur, avec une densité de terminaux unique au monde, et de très loin — que la planète observe avec stupéfaction.

Nouvel Observateur, 2 janvier 1987

Un monde de services en direct pour vous faciliter la vie.

Transports...

Offres commerciales...

Opérations bancaires...

Loisirs...

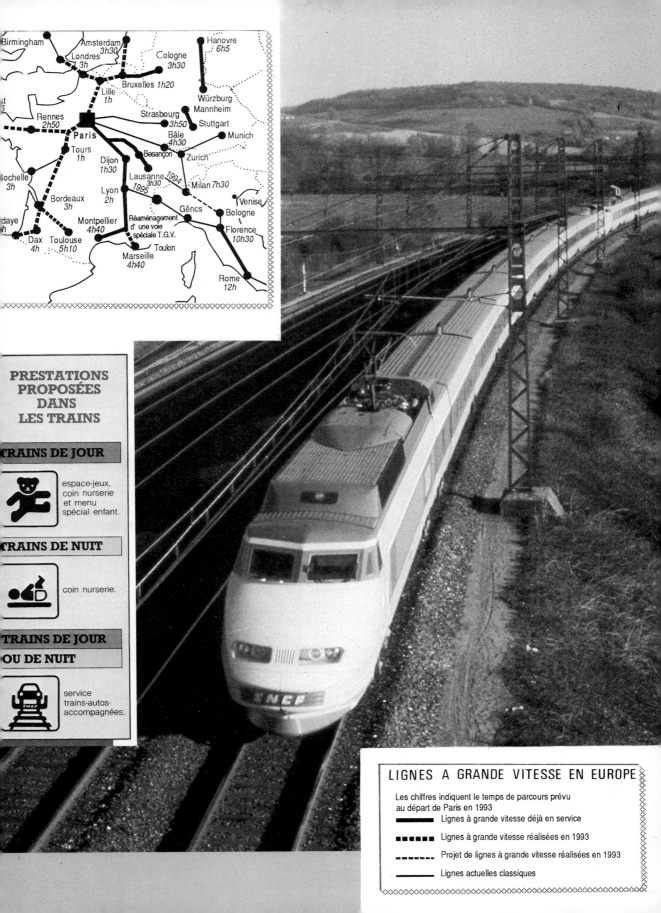

Birmingham
Amsterdam 3h30
Londres 3h
Hanovre 6h5
Cologne 3h30
Bruxelles 1h20
Lille 1h
Würzburg
Mannheim
Strasbourg
Stuttgart
Rennes 2h50
Paris
Bâle 3h50
Munich
Besançon
Zurich
Tours 1h
Dijon 1h30
Rochelle 3h
Lausanne 3h30 1994
1995
Milan 7h30
Bordeaux 3h
Lyon 2h
Gênes
Venise
Bologne
daye
Montpellier 4h40
Réaménagement d'une voie spéciale T.G.V.
Florence 10h30
Dax 4h
Toulouse 5h10
Toulon
Marseille 4h40
Rome 12h

PRESTATIONS PROPOSÉES DANS LES TRAINS

TRAINS DE JOUR

espace-jeux, coin nurserie et menu spécial enfant.

TRAINS DE NUIT

coin nurserie.

TRAINS DE JOUR OU DE NUIT

service trains-autos-accompagnées.

LIGNES A GRANDE VITESSE EN EUROPE

Les chiffres indiquent le temps de parcours prévu au départ de Paris en 1993

━━━ Lignes à grande vitesse déjà en service

▰▰▰ Lignes à grande vitesse réalisées en 1993

- - - Projet de lignes à grande vitesse réalisées en 1993

──── Lignes actuelles classiques

le nouvel
Observateur

FRANÇAIS, VOUS ÊTES LES SEULS À L'AVOIR
L'ANNÉE DU MINITEL

2. DE LA CROISSANCE A LA CRISE

Si les divers secteurs économiques ont connu après la guerre des évolutions différentes, la France dans son ensemble a vécu en trente ans <u>une période de croissance économique sans précédent</u> dans son histoire. On a même appelée les années 1945-75 les « trente glorieuses ».

Les facteurs qui ont contribué à cette transformation sont :

- <u>la reconstruction</u> après la guerre ;

- <u>une réforme des structures</u> grâce à l'intervention de l'Etat (sous forme de nationalisations et de planification) ;

- <u>une demande plus forte</u> due d'abord aux reconstructions et à la croissance démographique, ensuite à l'intégration aux marchés internationaux ;

- <u>une main d'œuvre assez bon marché</u> : d'une part ceux qui ont quitté la campagne, d'autre part des immigrés venus chercher du travail, enfin des femmes qui sont entrées dans la vie active ;

- <u>un boom de la productivité</u> (= la production par heure de travail) : une augmentation de plus de 300% en moins de vingt ans.

Il en a résulté :

- une très grande <u>augmentation des salaires mais surtout du pouvoir d'achat</u> (le rapport entre les salaires et les prix) − 2,7 fois entre 1950 et 1984 (mais 20% seulement entre 1974 et 1983) ;

- <u>une économie moins protectionniste et plus ouverte</u> à l'économie mondiale ;

- <u>une inflation récurrente</u>, qui favorise ceux qui empruntent de l'argent mais qui rend la compétitivité internationale plus difficile.

L'économie des années 1960 et du début des années 1970 a même été baptisée la « <u>société de consommation</u> », ce qui désignait une société qui avait les moyens (= était capable) d'acheter non seulement ce dont elle avait besoin (souvent à crédit), mais aussi ce dont elle avait envie (voir les tableaux 9 à 11). C'est donc à cette époque que l'on a vu un grand développement de la publicité et des produits nouveaux, et que presque tout a commencé à être traité comme un produit à vendre ou une marchandise : les services, les conseils, les vacances, la formation, etc. Et la crise à partir de 1973 a été d'autant plus rude à supporter.

On appelle « la crise » la situation économique qui dure depuis 1973 environ. « Que s'est-il passé en France depuis 1973 ? Premièrement, le taux de la croissance a été réduit de moitié ; deuxièmement, le taux de l'inflation a plus que doublé ; troisièmement, le niveau du chômage a été à peu près multiplié par quatre » (*Le Point*, 14 juin 1982).

18. « Pendant plus de vingt ans, les entreprises entraînées par le mouvement général de croissance de l'Europe gagnèrent de l'argent sans trop se fatiguer. Un marché intérieur très demandeur, des entreprises faisant parfois peu d'efforts pour suivre la demande (les délais de plusieurs mois pour obtenir une 2 CV !) ; marché peu soumis à la concurrence étrangère, et l'Afrique du francophone constituant une chasse gardée, énergie bon marché, main-d'œuvre immigrée occupant les emplois les moins payés, recrutée directement en Afrique par les grandes entreprises, inflation allégeant le poids des dettes. Alors, pourquoi investir ? A côté de réussites style Michelin, BSN, combien d'entreprises mal gérées, vétustes, du genre Berliet, De Wendel ?(...) ... D'abord moderniser l'Etat, dit Michel Crozier. Je crois qu'il reste encore beaucoup à faire pour moderniser les entreprises... »

Lettre au *Monde*, 15 novembre 1985

19. Qui rendez-vous surtout responsable de la situation actuelle de l'économie française ?

	ensemble	droite	gauche
Les Français en général	33 %	36 %	30 %
Les hommes politiques	30 %	23 %	39 %
Les organisations syndicales	15 %	25 %	5 %
Les chefs d'entreprise	8 %	3 %	15 %
Ne se prononcent pas	14 %	13 %	11 %

Le Point, 22 juin 1987

C'est d'abord une crise énergétique (= pétrolière), avec l'augmentation brutale du prix du pétrole en 1973 et ensuite en 1979. Mais c'est aussi ce qu'on appelle une crise « structurelle », c'est-à-dire qui n'est pas due aux problèmes du moment mais à des causes plus profondes, dans les structures mêmes de l'économie. En France elle a surtout influé sur les grands secteurs traditionnels comme les industries textiles, sidérurgiques et automobiles, et les chantiers navals, et a créé un chômage qui touche beaucoup de monde là où ces industries étaient situées.

Cette crise est due aussi à d'autres facteurs, parmi lesquels on trouve une moins grande consommation des produits ou/et une surproduction mondiale ; la concurrence des pays à salaires plus bas, notamment dans le

20. Hayange ? 24 000 habitants en 1972 (après la fusion avec quatre petites communes environnantes), 20 000 en 1975, 18 000 en 1984. Des chômeurs, évidemment : 1 004, assure le maire, 17 % de la population active, dont 85 % de moins de 25 ans. Une crise visible : plus que deux hauts fourneaux qui fument, quartier du Patural. Une crise palpable : trois fermetures de magasins près de la librairie Weber, le mois dernier. Plus de quincaillier, plus de disquaire, plus de chausseur de luxe. Un comble, dans une ville qui, il n'y a pas si longtemps, se prétendait orgueilleusement « premier centre commercial de Moselle » derrière Metz. Fuite des gens, fuite des jeunes, surtout : « 700 élèves il y a sept ans, 385 aujourd'hui », se désole Henri Tendil, le directeur du C.E.S. Jacques-Monod au Konacker, l'une des communes fusionnées.

L'Express, 16 mars 1984

21. Parmi les services rendus à la nouvelle majorité par les socialistes, la restauration des valeurs de l'entreprise n'est sûrement pas le moindre. Qui pouvait imaginer en 1981 que, grâce à la gauche, la réhabilitation du profit, la désindexation des salaires, l'envol de la Bourse, la meilleure compréhension par le personnel des nécessités de la production seraient inscrits dans l'héritage ?

(...) Une enquête effectuée pour la Commission européenne auprès des travailleurs donne une série d'indications importantes : une majorité d'entre eux se déclarent prêts à accepter une baisse de salaire si leur entreprise est en difficulté à condition de recueillir une participation aux bénéfices lorsque la situation s'améliorerait.

Enfin, un salarié à temps plein sur six préférerait travailler entre trente et trente-quatre heures par semaine avec une réduction de salaire correspondante. Enfin, 56 % des travailleurs européens acceptent que le salaire varie pour le même travail en fonction de l'efficacité de chacun.

Le Monde, 28 mars 1986

22. (...) Les entreprises ont besoin d'hommes nouveaux pour affronter le Marché unique européen... Le portrait-robot du jeune diplômé qu'ils traquent tous à l'horizon 92 ? Il se résume en quelques mots : bilingue, adaptable, mobile.

Un impératif avant tout : celui de la langue. Ne pas parler anglais est désormais une tare... Finie l'époque où l'on recherchait des spécialistes immédiatement opérationnels sur des postes pointus.

Désormais, il faut être capable de passer d'une fonction à une autre, de s'intégrer dans différents services... Cette aptitude implique un recrutement à un niveau sans cesse plus élevé : bac + 4, bac + 5, la palme d'or venant à la double formation alliant une école de gestion ou de commerce et une spécialisation.

Troisième impératif, faute duquel point de salut à l'horizon 92 : la mobilité géographique et professionnelle.

Le Figaro, 6 juin 1988

mentait chaque année. Il a donc été très difficile de prendre dans les années 1970 les mesures nécessaires — en particulier le blocage des salaires et la fermeture de nombreuses usines — pour commencer à résoudre ces problèmes. Ainsi, la France a sans doute « vécu au-dessus de ses moyens » (= trop richement) pendant plusieurs années. En 1981-82 les socialistes, arrivés au pouvoir avec François Mitterrand, ont essayé de faire repartir la consommation intérieure en augmentant le salaire minimum et certaines allocations, mais ils ont découvert très vite que l'économie française n'était plus isolée (= autonome), qu'elle ne pouvait donc pas se guérir toute seule et même que, quand les Français avaient un peu plus d'argent, ils achetaient beaucoup de produits importés, ce qui n'a rien fait pour réduire le chômage. Ils sont donc revenus à une « politique d'austérité » et de « réalisme » (dévaluation du franc, blocage des prix et des salaires, licenciements, fermetures d'usine) qui a fini par maîtriser l'inflation — en partie aussi parce que l'inflation à l'étranger avait baissé, et à cause d'un dollar moins fort et du pétrole moins cher. Mais le chômage est resté très élevé et la croissance n'a pas vraiment été relancée.

Avec l'arrivée de la droite en 1986 il a été question de mesures « libérales » telles que des dénationalisations et une plus grande liberté de licencier, la libération des prix, la diminution de la fiscalité et des charges sociales des employeurs, des mesures pour favoriser l'emploi des jeunes, et en général « moins d'Etat ». « Nous devons rendre aux entreprises le goût du risque et la volonté d'entreprendre » (E. Balladur, premier ministre, in *Le Monde*, 18 avril 1986). En deux ans au pouvoir, sa plus grande réussite économique a sans doute été la privatisation des entreprises — les acheteurs ont été beaucoup plus nombreux et les prix plus élevés que prévus (jusqu'au « krach » boursier d'octobre 1987). Beaucoup plus controversée a été l'évolution de la télévision sous la droite : vente de TF1 (la première chaîne), augmentation considérable de la publicité et des émissions « populaires » (jeux, feuilletons étrangers, etc.) — beaucoup y voient le triomphe de l'argent sur la culture. Enfin, le nouveau défi économique est l'achèvement par la CEE pour le 31 décembre 1992 d'un marché intérieur unique, avec « la libre circulation des marchandises, des personnes, des services et des capitaux ». Quelles en seront les conséquences pour la France et son économie ?

VOCABULAIRE: L'ARGENT

I. Remplissez les blancs pour faire un paragraphe complet.

« J'ai des ennuis. Avant, je . . . bien ma . . . et j'avais un bon . . . de vie, mais ma société a des difficultés . . ., par conséquent mon salaire n'a pas été . . . depuis longtemps. Mais tout le monde sait que . . . et le . . . de la vie continuent de monter. Donc mon pouvoir . . . n'a pas été maintenu, et celui de mes enfants non plus : je leur donnais régulièrement de l'argent . . ., mais il faudra maintenant qu'ils le . . . eux-mêmes. J'ai aussi plus de mal à . . . l'argent que j'ai . . . pour acheter l'appartement. Enfin, comme l'Etat a augmenté les . . . pour aider les chômeurs et les retraités, j'ai aussi moins d'argent . . . qu'avant. Heureusement, nous attendons un troisième enfant — les . . . familiales nous aideront beaucoup.

II. Définir les termes ou/et distinguer entre eux.

1. salaire/revenu/avantages en nature

2. cotisations sociales/prestations sociales

3. niveau de vie/coût de la vie

4. impôt/taxe

5. SMIC/TVA

6. éventail des salaires/revenu disponible

III. Discussion (orale ou écrite)

1. Regardez les tableaux 6, 7 et 8. Quelles vous semblent être les différences ou changements les plus significatifs, et quelles explications pouvez-vous en donner ? A propos du tableau 7, quels appareils seraient encore plus « discriminants » (= distingueraient plus un Français d'un autre) ?

2. Quels sont les avantages et les inconvénients (= désavantages) des impôts directs ? indirects ?

3. Est-ce qu'il vaut mieux une fiscalité assez légère ou des prélèvements et redistributions assez considérables ?

VOCABULAIRE: L'ÉCONOMIE

I. Définissez ou utilisez sans ambiguïté les termes suivants.

(N.B. Pour certains il vaudra mieux vérifier à l'aide d'un bon dictionnaire.)

1. Plan

2. privatisation

3. le secteur public

4. Etat-providence

5. Sécurité sociale

6. médecin conventionné

7. TGV

8. les « trente glorieuses »

9. la productivité

10. la crise

11. la société de consommation

12. le Tiers Monde

13. libéral

II. Dites en une phrase complète ce que chacun des phénomènes suivants a causé ou changé dans l'économie française.

1. la crise économique

2. la baisse démographique et l'abaissement de l'âge de la retraite

3. le Marché commun

4. la croissance économique

5. la dépendance énergétique

6. le chômage

7. l'inflation récurrente

8. la majorité socialiste entre 1981 et 1986

III. Discussion (orale ou écrite)

1. Quels sont les points forts et les points faibles de votre économie nationale ?

2. Etes-vous pour une économie protectionniste ? pour la « robotisation » (= faire faire le travail par des robots plutôt que par des hommes) ?

3. Que pensez-vous de la « société de consommation » ?

4. Quelle doit être selon vous la place de l'Etat dans l'économie nationale ?

5. Comment fonctionne la médecine chez vous ? la retraite ?

6. Serez-vous prêt à 45 ans (par exemple) à verser encore plus d'argent pour les retraités ? Sinon, quelle autre solution proposez-vous ?

IV. Jeu de rôle :

Faites un débat à propos des nationalisations entre hommes politiques, économistes et consommateurs. Décidez d'abord entre vous quel secteur ou entreprise sera à nationaliser ou à privatiser (par exemple, une société automobile, les transports, une chaîne de télévision, l'enlèvement des ordures [= saletés], l'informatique [= les ordinateurs, etc.], etc.).

LA CAUSE ET L'EFFET

parce que, à cause de (≠ malgré)

- « *parce que l'inflation à l'étranger a baissé, et à cause d'un dollar moins fort* »
- « *malgré la réputation d'inefficacité des fonctionnaires* »

puisque, comme (indiquent la cause)

- « *le secteur public français est un des plus développés puisque environ 25 % de la population active y travaillent* »
- « *comme ce sont ceux qui travaillent qui financent la Sécurité Sociale, plus il y a de chômeurs moins il y a de cotisations* »

ainsi, donc, par conséquent (indiquent la conséquence ou l'effet)

- « *La Sécurité sociale s'occupe de la santé... Ainsi, elle verse des allocations en cas de maladie* »

N.B. « Ainsi » au début d'une phrase est suivi d'une virgule ou d'une inversion du sujet et du verbe (« Ainsi, elle verse... » / « Ainsi verse-t-elle... »

- « *La Sécurité sociale doit donc chercher à augmenter ces recettes* »
- « *un amour de l'objet très perfectionné mais par conséquent très cher* »
- « *quelles seront les conséquences du marché unique pour la France ?* »

la place de (une cause, un facteur, etc.)

- « *la place centrale de l'Etat est d'abord un phénomène historique* »

jouer un (le) rôle de... dans...

- « *la France aura un rôle essentiel à jouer dans ces options stratégiques* »*

toucher ; influer sur, exercer une influence sur

N.B. on influe, etc., sur une situation, mais on influence une personne

- « *un chômage qui touche beaucoup de monde* »
- « *la crise pétrolière a surtout influé sur les grands secteurs traditionnels* »
- « *lorsque les monopoles exercent une trop grande influence sur la vie économique* »*

être un facteur (dans), contribuer à

- « *un autre facteur semble avoir été le souvenir de la crise économique des années 1930* »
- « *les facteurs qui ont contribué à cette transformation* »

être la cause/l'effet de ; responsable de ; provoquer, entraîner

- « *une crise structurelle, qui n'est pas due aux problèmes du moment mais à des causes plus profondes* »
- « *la crise économique a été pour beaucoup de Français l'effet d'un capitalisme incontrôlé* » « *Qui rendez-vous responsable de la situation actuelle ?* »
- « *une nouvelle efficacité, ce qui a provoqué un véritable exode rural* »
- « *une dépendance énergétique qui a entraîné le développement de l'énergie nucléaire* »

grâce à

- « *une réforme des structures grâce à l'intervention de l'Etat* »

faire faire qqch.

- « *les socialistes ont essayé de faire repartir la consommation* »

dépendre de ; il en résulte..., être le résultat de

- « *leurs effets dépendront des réponses que nos concitoyens choisiront de donner* »*
- « *il en a résulté une augmentation des salaires, etc.* »
- « *une difficulté à commercialiser les résultats des recherches* »

être dû/due à

N.B. Noter la différence d'orthographe entre le masculin et le féminin.

- « *une demande plus forte due à la croissance démographique* »

si... (condition), (résultat)

N.B. Il s'agit ici des phrases conditionnelles, qui demandent une concordance des temps de verbe :

- si + présent, ... futur
  si + imparfait, ... conditionnel
  si + plus-que-parfait, ... conditionnel du passé

« Si le commerce français refuse – par inertie ou par dignité – de se plier à une certaine modernisation, il sera remplacé par des appareils à sous. » (In *L'Expansion*, 21 septembre 1984 ; c'est nous qui soulignons)

Noter enfin en passant de nombreux verbes qui spécifient l'influence ou la causalité : adapter, aider, améliorer, changer, créer, développer, diminuer, renforcer, moderniser, modifier, orienter, réduire, rendre, résoudre, transformer, etc.

EXERCICES

N.B. Presque tous ces exercices vous demandent de réfléchir un peu plus sur la forme et sur le fond que les exercices des chapitres précédents.

I. Dans les phrases suivantes remplacez parce que par :

A. à cause de

B. puisque ou comme

Attention aux autres changements qui seront nécessaires.

1. Les prix étaient élevés parce qu'il y avait une inflation récurrente.

2. La France s'est ouverte à l'étranger parce qu'elle a adhéré au Marché Commun.

3. On l'appelle une économie « dirigiste » parce que l'Etat y joue un grand rôle.

4. La crise touche beaucoup de monde parce que le chômage reste élevé.

5. La consommation s'est développée parce que les Français avaient plus d'argent à dépenser.

II. Citez trois causes et trois effets (six phrases complètes en tout) de la croissance économique entre 1945 et 1975, avec chaque fois une expression différente de causalité (et sans utiliser parce que ou à cause de).

III. Mettez les réponses au sondage suivant dans des phrases complètes.

Conjuguez le verbe après si avec je, nous, vous et il. Faites cet exercice pour les réponses indiquées (*).

Si demain vous gagniez une grosse somme d'argent sur laquelle vous ne comptiez pas, à quoi la dépenseriez-vous ?	
*1. Un placement sûr comme un terrain ou de l'or	30,6%
*2. Une dépense exceptionnelle comme un grand voyage lointain	24,9%
*3. Une réserve qui reste sur le compte en banque en attendant d'avoir une idée	12,4%
*4. Les vacances	11,1%
*5. Un rapport régulier à la Caisse d'Epargne	10,2%
*6. Une voiture neuve	9,4%
*7. Un beau mobilier pour la maison	9,4%
*8. Un investissement comme créer une petite entreprise ou un commerce	7.7%
*9. Des choses pour la maison comme une TV ou un lave-vaisselle	7,4%
*10. Un placement qui rapporte, comme des actions ou des obligations	6,0%
*11. Un prêt à des copains	2,9%
*12. Une réserve pour mes impôts	2,1%
*13. Des choses pour soi comme des bijoux ou un manteau de fourrure	2,0%
*14. Jouer au casino	0,3%
CCA	

IV. Consultez les tableaux (p. 112).

A. Pour le premier, réexprimez chaque explication du chômage avec une expression de causalité. (Dans les cas où moins de 50% des Français estiment que ce n'est pas une explication valable il faudra le mettre au négatif.)

B. A propos du deuxième tableau, vous redirez chaque solution possible avec si + le présent, puis si + l'imparfait. (Quand moins de 50% des Français croient à une solution donnée, il faudra mettre « Même si..., ne... pas ».)

Le chômage augmente depuis dix ans. Pour chacune des explications suivantes, dites si vous la jugez valable ou non.

	valable	pas valable
Les entreprises remplacent de plus en plus les hommes par des machines	82	16
La crise internationale	81	11
Les impôts et les cotisations sociales sont trop lourds	80	13
Les entreprises n'ont pas utilisé leurs profits pour créer des emplois	72	14
Les entreprises n'ont pas assez investi dans des produits d'avenir	63	18
Les entreprises hésitent à embaucher à cause des contrôles administratifs	60	27
Les chômeurs sont trop exigeants	28	64
Les salaires ont augmenté trop vite	20	72

Je vais vous citer des mesures qu'on pourrait prendre pour tenter de réduire le chômage. Pour chacune d'elles, dites-moi si elle aurait, d'après vous, un effet positif ou négatif.

	positif	négatif
Relancer l'économie en augmentant le pouvoir d'achat des Français	72	15
Encourager le retour des immigrés dans leurs pays d'origine	67	20
Limiter les importations de produits étrangers en France	66	23
N'augmenter les salaires que si l'entreprise fait des bénéfices	61	26
Réduire les charges sociales des entreprises, même si cela doit augmenter les impôts	53	29
Supprimer l'autorisation administrative de licenciement	48	32
Réduire la durée du travail en réduisant d'autant les salaires	32	53
Supprimer l'obligation pour les petites entreprises d'avoir un comité d'entreprise et des délégués du personnel	29	48
Supprimer l'impôt sur les grandes fortunes	19	63

L'Événement du jeudi, 29 mai 1986.

7. LA POLITIQUE

Il a été question, dans les chapitres précédents, d'un certain nombre de données qui reflètent et déterminent des choix de société. C'est dans le domaine politique que ces choix sont le plus discutés même si la politique ne peut pas nécessairement décider de tout ou même exercer une influence déterminante. Nous verrons dans ce chapitre ce qui compose ce domaine politique, ces structures et institutions mais aussi comment la politique exprime certains courants de pensée et certains comportements. Les parties A et B peuvent être lues indépendamment.

1. A votre avis, appartient-il ou non à l'État de s'occuper...

	OUI	NON	S.R.
De la protection sociale	84%	10%	6%
Des conditions d'exercice de la médecine	47	42	11
De la réglementation des prix ...	80	16	4
Des négociations salariales	64	27	9
De l'information : radio, télévision	37	55	8
Du téléphone et des postes	67	25	8
De la planification de l'économie	80	10	10
Des loisirs et de la culture	50	44	6
De la gestion des groupes industriels	42	44	14

L'Express, 7 octobre 1983)

A. DES OPINIONS AUX PARTIS

I. Avant tout, l'Etat

C'est surtout l'histoire − l'héritage romain et celui de l'Eglise, l'Ancien Régime, la Révolution (les « jacobins »), l'Empire de Napoléon, le Gaullisme − qui a créé et maintenu un Etat centralisé, même à travers les régimes et les constitutions. L'Etat est prépondérant par sa présence dans l'économie, les services publics, l'enseignement, les médias audio-visuels, et c'est, nous l'avons vu, en grande partie ce qui explique la prépondérance politique, économique, culturelle, de Paris.

Il est hiérarchisé en ce sens que l'Etat représente l'intérêt général qui doit être supérieur aux intérêts particuliers, et que les ordres et la majorité des initiatives viennent d'en haut ; mais il est aussi « cloisonné » (= peu de communication entre les différents ministères) et ignore souvent les vrais besoins locaux.

2. M. Mitterrand a souligné que l'Etat "est le seul instrument dont disposent les autorités élues pour faire vivre leurs décisions". Il est vrai, a-t-il ajouté, que "l'Etat, dans les démocraties, est souvent excessif", parce que "l'Etat a pour nature d'envahir les espaces libres". Il existe, en outre, en France, une tradition centralisatrice qui, a observé M. Mitterrand, remonte bien au-delà des Jacobins et qui rend nécessaires "des institutions qui puissent [la] corriger". Tout cela étant dit, le président de la République a souligné, une fois encore, qu'il n'est "pas de démocratie sans Etat".

Le Monde, 19 décembre 1985

Niveau	Centre Administratif	Responsable Administratif	Organe
National	Gouvernement	Premier Ministre	Conseil des ministres
Régional (22)	Préfecture de région	Préfet de région	Conseil régional
Départemental (96)	Préfecture	Préfet	Conseil général
Communal (36 000)	Commune	Maire	Conseil municipal

De 1982 à 1986, le préfet a été « commissaire de la république » selon la décentralisation commencée par le gouvernement socialiste. Cette réforme, une des plus grandes entreprises par les socialistes, devait donner plus d'autonomie − de décision mais aussi financière − aux collectivités locales, pour les « compétences » (= responsabilités) comme pour les finances. Le commissaire de la république ne serait alors que le représentant du pouvoir central ; et le président du conseil général (pour le département) et le maire (pour la commune) auraient le véritable pouvoir de direction et de décision. Mais... comme c'est le pouvoir central qui doit organiser sa propre décentralisation, la réforme ne se met que lentement en place, et les régions ressemblent quelquefois plus à des commodités administratives pour l'Etat qu'à des regroupements évidents et « naturels ». Enfin, la plupart des experts estiment que la France n'a pas besoin des niveaux départemental et régional tous les deux (v. la carte p. 37), surtout quand on ajoute le niveau européen, mais lequel des deux va survivre à l'autre ?

C'est l'administration qui est l'appareil de préparation et d'application des décisions politiques et administratives, et qui assure la stabilité et la continuité de la présence de l'Etat, puisque la très grande majorité des fonctionnaires restent en place quand le régime change. Etre fonctionnaire est donc une carrière en France, mais certains trouvent que c'est aussi une situation trop confortable, qui donne trop d'indépendance et trop peu de motivation − « Il faut distinguer service public et monopole d'Etat. La fonctionnarisation de la société française provient de la confusion des deux » (*Le Point*, 9 avril 1984). On remarque aussi depuis quelques années une nouvelle tendance vers la politisation de l'administration (= nommer des fonctionnaires qui ont les idées politiques du gouverment).

Les fonctionnaires, qui représentent plus de 20% de la population active, ont un statut privilégié puisqu'ils ont une très grande sécurité d'emploi, qu'ils travaillent pour la plupart anonymement, et que le simple citoyen est en position d'infériorité devant la hiérarchie administrative, car il connaît moins bien les règlements que le fonctionnaire (« il vous manque un papier »). L'administration a aussi ses propres tribunaux, le citoyen ne peut

3. Le premier ministre a déclaré à ce sujet : « Le redressement de notre pays suppose, à côté des nombreuses mesures législatives ou réglementaires qui interviendront, une transformation de l'état d'esprit des Français. C'est par le développement des initiatives individuelles, par la volonté d'aller de l'avant, par la mise en commun et l'encouragement de toutes les énergies, que la France reprendra sa place dans le monde. Il vous appartient, à vous [les préfets], qui représentez l'Etat, de favoriser ces initiatives et ce dynamisme et de donner vous-même l'image d'une administration ouverte et attentive au progrès (...) »
Le Monde, 30 avril 1986

4. « Quelles sont, dans la liste suivante des administrations ou des entreprises publiques, celles dont vous êtes le plus satisfait ? »

la poste	58%
le téléphone	39%
la SNCF	31%
les hôpitaux	31%
EDF	30%
la gendarmerie	22%
la Sécurité Sociale	20%
GDF	20%
l'Education nationale	12%
la police	11%
la RATP	10%
Air Inter	7%
l'administration des impôts	4%
ne se prononcent pas	3%

Total supérieur à 100 en raison des réponses multiples.

Les trois principales qualités reconnues aux services publics sont la compétence, la technicité et l'honnêteté (...) la lenteur et le manque d'amabilité se détachent nettement comme les deux points noirs de l'administration (...)
Le Point, 20 juin 1983

115

donc pas porter plainte contre l'administration de la même façon qu'il le ferait contre un autre citoyen ou une société privée. Son statut d'« administré » est sans doute ce qui explique en grande partie un sentiment, chez beaucoup de Français, d'impuissance et de méfiance (peut-être aussi d'envie ?) chez beaucoup de Français à l'égard de l'Etat, et qui fait privilégier le « système D » (= « se débrouiller », arriver à un résultat de façon non officielle).

Il faut cependant éviter de juger trop vite. Non seulement l'administration française a des dirigeants possédant une excellente formation, mais l'organisation et le statut de l'administration doivent assurer en principe un traitement relativement semblable à tous les citoyens. L'administration a d'ailleurs assuré une très grande stabilité pendant les années de reconstruction après la guerre, quand le régime politique était extrêmement peu stable. Enfin, sa place prépondérante dans la vie française fait que, même quand des Français sont exaspérés, ils comptent en même temps sur l'Etat pour résoudre bon nombre de problèmes qui ailleurs seraient résolus autrement, et en particulier pour servir de contrepoids au pouvoir de l'argent (comme on l'a vu par exemple dans les débats passionnés à propos de la privatisation d'une chaîne de télévision en 1986).

Il y aurait donc une sorte de « symbiose » (= une dépendance réciproque) entre administration et administrés. Il faut en tout cas se rappeler que l'on ne perçoit pas nécessairement un pays étranger comme son propre pays. L'étranger frustré par ses contacts avec l'administration ou les services publics en France peut donc se dire : 1) que les Français le sont souvent aussi ; et 2) que la situation des étrangers dans son propre pays ne correspond peut-être pas à celle qu'il imagine non plus.

---

5. « Si le droit de grève est prévu par la Constitution, le droit au travail n'est pas moins sacré. Il serait bon que le droit de grève soit réglementé pour les agents de la fonction publique. Garantie de l'emploi ou droit de grève : mais pas les deux en même temps. »
Dans une lettre au *Point*, 19 janvier 1987

Le plus dur sans doute, pour les grévistes, c'est le désaveu de l'opinion exprimé par les sondages. « Oui, j'ai la sécurité de l'emploi. Oui, il y a 2,5 millions de chômeurs. Dois-je pour autant me priver du droit de grève ? » dit Sylvie Barbe. Elle a 28 ans, un bac option langues, deux années de droit. Elle est employée depuis cinq ans à EDF. Salaire brut : 6 000 francs.
Le Nouvel Observateur, 16 janvier 1987

C'est vrai qu'il y a un « esprit fonctionnaire » (pas de risques, pas de vagues, pas d'initiatives) aussi dangereux que « l'esprit bourgeois » (mesquin, hypocrite, frileux) est odieux. Mais les agents de la fonction publique ont-ils le monopole de « l'esprit fonctionnaire » ?
L'Événement du jeudi, 19 juin 1986

II. Gauche et Droite

Autre aspect historique de la vie politique en France, la distinction gauche/droite. Il s'agissait à l'origine de l'emplacement des sièges dans l'assemblée constituante sous la Révolution française, mais on peut essayer aussi de caractériser les deux points de vue à partir d'une petite liste de mots-clefs ou thèmes en opposition — à condition de se rappeler que nous sommes ici dans le domaine du subjectif et de l'idéologique, que ceci est très schématique, et que tous ces termes devraient en fait se trouver entre guillements (« »).

Droite	Gauche
le statu quo	le changement
conserver	réformer
la foi, l'Eglise	la raison, l'anti-cléricalisme
l'ordre établi, les traditions	le mouvement, un avenir meilleur
la patrie, la nation	la solidarité (de classe)
reconnaître le mérite individuel	assurer les droits de tous
la hiérarchie	l'égalité
la liberté	les droits
l'individu	les travailleurs, le peuple
l'Etat minimal	l'Etat-Providence
l'économie libérale	l'économie dirigiste
l'ordre, la sécurité	la protection sociale, la justice

Bien entendu, il y a des gauches, et des droites, et le système politique français est en fait très marqué aussi par la diversité des tendances politiques. De plus, comme nous le verrons, un certain nombre de ces thèmes politiques ont connu des variations depuis la fin des années 1960 (avec la mort du général de Gaulle en 1969, l'arrivée de la crise en 1973-74, l'expérience de la gauche au pouvoir à partir de 1981). Cependant quelques phénomènes paraissent assez constants pour être mentionnés comme des données, au moins historiques :

1. la politisation relativement grande de la société française, c'est-à-dire la tendance — héritage de la Révolution ? appel à l'Etat ? — à voir la plupart des problèmes en termes de politique et d'idéologie (mais pas nécessairement en termes d'un parti politique spécifique) ;

6. Qui de la gauche ou de la droite est la plus apte à défendre...

	Février 1986			
	La gauche	La droite	Autant l'une que l'autre	Sans opinion
La propriété	11	54	21	14
Le droit à l'héritage	9	52	21	18
La famille	23	29	37	11
Les droits des femmes	34	17	34	15
La culture française	24	22	40	14
Le plein-emploi	22	29	32	17
Le niveau de vie	27	29	30	14
La bonne marche de l'économie	21	36	29	14
Le franc	20	35	31	14
Le pluralisme	18	21	28	33
L'entreprise	16	47	22	15

A votre avis, qui de la gauche ou de la droite est la plus attachée...

	Février 1986			
	La gauche	La droite	Autant l'une que l'autre	Sans opinion
A l'idée de partie	9	28	50	13
A l'égalité	36	16	37	11
A la justice sociale	41	18	30	11
A dénoncer les atteintes aux droits de l'homme dans n'importe quel pays du monde	32	19	35	14
Au progrès	21	29	39	11
Aux libertés	29	27	34	10
A la tolérance	31	22	33	14
A la construction européenne	19	28	36	17
A la participation des citoyens à la vie politique	26	16	39	19
A la croissance de l'économie	19	34	33	14

L'Evénement du jeudi, 21 février 1986

2. une adhésion (= être membre) assez faible aux partis politiques, mais <u>une très forte participation électorale</u> (80% ou plus) ;

3. le fait que <u>plus de gens se disent « de gauche »</u> que que « de droite », en particulier quand il s'agit de dire comment on va voter ou a voté ;

4. un <u>comportement variable selon le type d'élection</u> (présidentielles, législatives, etc.), ce qui rend difficile de prédire d'un type d'élection à une autre ;

5. malgré un climat politisé, une tendance − en particulier de la droite − à <u>garder les acquis</u>, en particulier sociaux, des régimes de gauche.

Cela explique peut-être ce qu'on veut dire en parlant de la France comme un des pays les « plus conservateurs mais moins réactionnaires ». Il y a d'ailleurs d'autres particularités de vocabulaire, puisqu'en allant d'extrême-gauche à extrême-droite les termes qui se suivent sont (encore, non sans subjectivité) :

anarchiste gauchiste	Extrême-gauche
communiste socialiste	Gauche
social-démocrate centre radical	Centre
libéral chrétien-démocrate modéré « de droite »	Droite
nationaliste monarchiste	Extrême-droite

Enfin, moins de Français se disent de gauche aujourd'hui, mais plus de Français refusent aussi de se classer à gauche ou à droite : en 1987, 32% se classaient à gauche, 36% à droite et 30% refusaient de se classer (contre 22% en 1983). Voyons maintenant les partis politiques par lesquels les divers courants s'expriment.

6. Un tabou est mort. Avant le 10 mai 1981, personne − ou presque − dans l'ancienne majorité ne s'affichait « de droite ». Deux ans et demi d'opposition et tout a basculé. Aujourd'hui, il faut chercher longtemps avant de rencontrer un opposant qui se dise « social-démocrate ». Même la référence au « centrisme » paraît passée de mode. Finis les complexes : le nouveau look, c'est la droite.

L'Express, 27 janvier 1984

7. La présidentielle de 1988 ne ressemblera en rien à celle de 1981. Car la bipolarisation n'est plus de saison : ce sont ces 30% (qui refusent de se classer) qui feront la différence au mois de mai prochain...

Pour 40% des Français, le terme « privatisation » est désormais négatif. A la baisse aussi « profit » et « capitalisme ». Le vocabulaire économique de la droite est en panne...

La gauche, pour autant, ne profite pas de ce désenchantement. Sa phraséologie ne progresse pas. Les mots « socialisme », « gauche », « nationalisation », « syndicats » ne font pas vibrer les Français comme hier, preuve que la période 1981-86 n'est pas effacée. Les illusions politiques se sont envolées dans la double alternance et les idéologies politiques se sont érodées.

Le Point, 9 novembre 1987

III. A Gauche : le Parti Communiste (P.C.) et le Parti Socialiste (P.S.)

Après la deuxième guerre mondiale et jusqu'en 1978 le Parti Communiste représentait 20 à 25% de l'électorat (= les électeurs, ceux qui votent). Cette situation de plus grand parti de gauche était due surtout à son prestige historique (le comportement patriotique des communistes français pendant la guerre), à son prestige idéologique, comme le défenseur de la classe ouvrière, qui représentait un tiers de la population active, enfin à l'existence d'un vote de protestation de la part d'électeurs qui disaient ainsi plutôt « non » à la majorité que « oui » au P.C.

Depuis le début des années 1970, le P.C. connaît un déclin qui est un des phénomènes majeurs de la vie politique française récente, allant jusqu'à moins de 10% des voix (= des votes) aux élections législatives de 1986. Ce déclin s'explique par l'évolution de la société française en termes de sa composition socio-professionnelle et de son bien-être matériel, par la perte de prestige de l'Union soviétique, par une difficulté et même un certain refus de s'adapter chez les communistes, et sans doute aussi par le renforcement du Parti socialiste.

C'est sous l'impulsion de François Mitterrand, candidat à la présidence de la République en 1965, 1974 et (victorieusement) en 1981, que le P.S. a connu une renaissance à partir de 1971. Cette remontée est due aussi à un phénomène de remplacement, où les faiblesses du P.C. ont servi à renforcer le P.S. (les aspirations d'un certain nombre de gens de gauche — nouvelles classes moyennes, cadres moyens, beaucoup d'employés et même une bonne fraction des ouvriers — ne passaient plus par le P.C.), mais sans doute aussi à une alliance, le « Programme Commun » entre le P.C. et le P.S. (1972-78). Enfin, le P.S. est autant un groupement de tendances — féministes et régionalistes, par exemple — qu'un parti, et il a ainsi su absorber beaucoup des thèmes nouveaux des années 1970.

En fait, si Communistes et Socialistes ont été alliés aussi pendant le Front populaire (1936) et les premières années du mandat présidentiel de F. Mitterrand, les deux partis sont sérieusement opposés l'un à l'autre, notamment en ce qui concerne le rôle de l'Etat et la politique

Emblèmes des partis de gauche.

8. « Actuellement, l'économique prend de plus en plus d'importance par rapport au social. Et, dans l'idée de beaucoup de gens l'économique, c'est la droite, le social, c'est la gauche. Alors que nous sommes en train de montrer, je crois, lentement mais sûrement, dans la conscience des gens, que nous pouvons lier l'économique et le social.

« D'autre part, nous vivons à une époque où — j'enfonce une porte ouverte — l'individuel prend souvent le pas sur le collectif. Or l'individuel est souvent identifié à la droite, le collectif à la gauche. Alors que nous sommes en train de réconcilier les deux.

« Enfin, de la même façon, notre époque voit le sens du risque l'emporter peu à peu sur la notion de sécurité, et l'on considère, généralement, que le risque est l'apanage de la droite et la sécurité une valeur de gauche. Alors que la gauche, là encore, peut combiner risque et sécurité. Mais cette intégration des valeurs constitue un phénomène relativement nouveau, et ce que je viens de dire n'est probablement pas encore un sentiment majoritaire. »

L. Fabius, premier ministre, Le Monde, 7 janvier 1986

119

Emblèmes des partis de droite.

étrangère. La question reste de savoir si les Socialistes ont déjà pris toutes les voix possibles au P.C., s'ils veulent maintenant se tourner vers le centre, s'ils peuvent le faire sans perdre des voix à sa gauche. Mais comme le P.S. va, avec ses divers courants, du centre-gauche jusqu'au marxisme et donc jusqu'à la gauche du parti communiste, son unité restera sans doute problématique, en particulier pour un autre leader que Mitterrand.

IV. A Droite : l'UDF, le RPR et maintenant le FN

L'UDF (Union pour la Démocratie Française) est surtout une coalition, née en 1978 pour soutenir Valéry Giscard-d'Estaing, alors président de la République. Son plus « présidentiable » en 1988 était Raymond Barre, ancien premier ministre et économiste réputé. Le RPR (Rassemblement pour la République) a été fondé par Jacques Chirac en 1976, après avoir quitté les fonctions de premier ministre de Giscard. Héritier du gaullisme et donc plutôt étatiste, (du moins avant les années 1980), le RPR est le plus grand parti de droite et se trouve plus à droite que l'UDF, qui serait plus « européen » et internationaliste, plus « libéral » et moins interventionniste. Les deux groupes ont signé en 1985 un « accord pour gouverner ensemble et seulement ensemble », c'est-à-dire sans les Socialistes et sans le Front National. Le FN, dirigé par Jean-Marie Le Pen, est devenu un groupe parlementaire en 1986, avec presque 10% des voix. Représentatif de l'extrême-droite, il a surtout fait campagne sur les thèmes de l'insécurité et l'immigration en affirmant souvent que la seconde était la cause de la première.

Si le RPR et l'UDF ont pu conclure un accord en vue des élections législatives de 1986, et si les deux veulent éviter de se compromettre avec l'extrême-droite, il y a historiquement beaucoup de tensions personnelles entre leurs leaders. Comme la gauche aussi a ses divisions profondes, il était peut-être aussi légitime de se demander qui allait perdre des élections que qui allait les gagner. Nous verrons dans la partie B ce qui est en jeu, quels sont les principales institutions politiques françaises, puis quelques éléments de l'activité politique spécifique des années 1980.

B. LES INSTITUTIONS ET LE RÉGIME POLITIQUE

I. Le Régime politique

La constitution de la Vᵉ République date de 1958. Les rapports entre l'exécutif et le législatif sous ce régime sont assez particuliers, et méritent quelques remarques.

Le pouvoir exécutif :

- un <u>président</u> élu au suffrage (= le vote) universel direct pour 7 ans renouvelables (= le mandat, qu'il est quelquefois question de réduire à 5 ans) ;

- un <u>premier ministre</u> nommé par le président et qui dirige l'action du gouvernement (= le conseil des ministres, proposés par le premier ministre et nommés par le président).

Le pouvoir législatif :

- les <u>députés</u> (= l'Assemblée Nationale), élus dans chaque circonscription (= le département) au suffrage universel direct pour 5 ans, qui se prononcent sur les projets de loi du gouvernement ;

- les <u>sénateurs</u> (= le Sénat), élus au suffrage universel indirect pour 9 ans (renouvelables par tiers = tous les trois ans) − il s'agit surtout de « notables » représentant des collectivités locales.

Le président peut dissoudre l'Assemblée (une fois dans l'année) ; le premier ministre (avec son gouvernement) est responsable devant l'Assemblée, qui peut renverser le gouvernement en votant une motion de censure. Le premier ministre n'est pas responsable devant le président, qui ne peut pas le révoquer. Il s'agit donc d'un régime parlementaire puisque le gouvernement a besoin d'une majorité à l'Assemblée ; mais d'un régime présidentiel en ce sens que le président a beaucoup de pouvoirs, qu'il est élu au suffrage universel, et qu'il est autonome devant l'Assemblée (à la différence du premier ministre).

L'avantage de ce système, c'est que la situation du Président étant très stable, celui-ci peut s'occuper des questions politiques du long terme et laisser les affaires courantes à son premier ministre. L'inconvénient, c'est qu'on

121

10. Avant la fin de l'année, la France aura un autre système de valeurs que celui sur lequel elle vivait précédemment.

Jacques Chirac, le 21 juillet 1986

« Je ne suis et ne veux être responsable que des actes dont je prends l'initiative ou que j'approuve. Pour le reste, comme tout citoyen, j'applique la loi que vote le Parlement. »

François Mitterrand, le 10 novembre 1986

risque une impasse ou des conflits graves quand le Président est d'une tendance politique et l'Assemblée d'une autre (= la « cohabitation »). Ainsi, à la suite des élections législatives de 1986, F. Mitterrand a été obligé de nommer J. Chirac premier ministre pour satisfaire à la nouvelle majorité).

Enfin, il faut remarquer l'importance du <u>mode de scrutin</u> (= la façon de voter), que nous ne ferons que résumer ici :

- le srutin majoritaire uninominal à deux tours (pour la présidence, et pour l'Assemblée) : on vote pour une personne, qui doit obtenir la majorité des voix exprimées ; sinon, les deux qui ont obtenu le plus de voix au premier tour se présentent à un deuxième tour ;

- la proportionnelle (sous la IVe République, 1946-1959, et en 1985-86) : on vote en un tour pour la liste d'un parti (du P.S., R.P.R., etc.), qui obtient essentiellement un nombre de sièges proportionnel au nombre de voix obtenues.

11. « La Fance est une vieille nation, mais une jeune démocratie qui, dans son histoire moderne, depuis 1789, a connu beaucoup de soubresauts et de révolutions. En deux siècles, elle n'a pas traversé moins de quinze régimes différents (révolutionnaires, monarchiques, impériaux, républicains). Elle donne le sentiment d'avoir enfin trouvé, avec la Ve République, des institutions adaptées à son tempérament : un pouvoir exécutif fort, ultra-personnalisé, cela pour satisfaire son inconscient monarchiste et son goût de la stabilité, ses passions régicides et ses penchants pervers pour les joutes théâtrales. Tous les dix ans, en moyenne, elle s'enfièvre subitement et regarde soudain vers la gauche comme si elle n'en pouvait plus de la suprématie conservatrice et du règne des Seigneurs du pouvoir : 1936 (avec le Front populaire), 1946 (après la Libération), 1956 (avec le Front républicain), 1968 (avec Mai), 1981 (avec le second Mai). Et puis, très vite, elle en revient à ses amours ordinaires, d'autant plus vite que la pulsion de rejet à été plus brutale. Mariée avec le centre droit, la France s'en échappe sporadiquement, le temps de brèves liaisons avec la gauche. Après quoi, elle regagne le domicile conjugal. »

In A. Duhamel, *Le complexe d'Astérix* (Gallimard, 1985)

Parce qu'il renforce et amplifie la majorité, <u>le scrutin majoritaire favorise la bipolarisation</u> et a donné beaucoup plus de stabilité aux gouvernements de la Ve République que sous la IVe, mais ce scrutin est considéré par certains comme moins démocratique parce que l'ensemble des opinions est moins bien représenté. (Il a contribué, par exemple, au déclin du Parti Communiste, et sa restauration a presque fait disparaître le groupe parlementaire FN). <u>La proportionnelle traduit mieux la diversité des opinions</u>, mais met la stabilité gouvernementale en danger parce que les divers courants ont souvent du mal à se mettre d'accord sur une politique de gouvernement durable.

Les discussions sur le mode de scrutin deviennent vite très techniques : il faut surtout se rappeler qu'historiquement <u>la France n'est pas un pays à fort consensus politique</u>, que par conséquent il faut choisir entre élire une majorité « exagérée » mais stable et un vote « démocratique » mais qui risque l'instabilité.

II. La Politique dans les années 1980

En mai 1981 François Mitterrand a été élu Président de la République avec 51,75% des voix face au président sortant (= précédent) Giscard-d'Estaing. Comme ces chiffres l'indiquent, aucun candidat n'avait la majorité au premier tour :

Giscard : 28% des voix
Mitterrand : 26% des voix
Chirac : 18% des voix
Marchais (P.C.) : 15% des voix

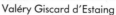

Valéry Giscard d'Estaing

François Mitterrand

C'était déjà un gros échec pour le Parti Communiste, mais au deuxième tour les reports de voix (= donner sa voix à un des deux candidats, alors qu'on a voté autrement au premier tour), cruciaux dans le scrutin à deux tours, ont été plus importants de Marchais à Mitterrand que de Chirac à Giscard. Celui-ci parlera ensuite de « critiques et trahisons préméditées », mais on estime aussi que Giscard, qui avait été élu en 1974 comme le candidat du changement et de la compétence technocratique, a été battu en grande partie par le chômage qu'il n'a pas su réduire. Mitterrand a dissout tout de suite l'Assemblée, et les élections législatives ont donnée une majorité absolue aux Socialistes.

Jacques Chirac

Michel Rocard

Raymond Barre

Les premières années des Socialistes ont vu le vote et l'application d'un assez grand nombre de mesures promises par eux :

- plusieurs nationalisations (39 banques et 9 groupes industriels)

- les débuts de la décentralisation administrative

- l'abolition de la peine de mort et des réformes du système judiciaire

- la régularisation de la situation des immigrés clandestins

Jean-Marie Le Pen

Georges Marchais

Les libertés, vous êtes
des millions à en manquer.

**FAITES-VOUS
ENTENDRE !**

André Lajoinie

au premier tour.

LA FRANCE UNIE

NATIONAL 7

DU SÉRIEUX,
DU SOLIDE,
DU VRAI.

BARRE PRÉSIDENT.

TRAFIC 7

l'outsider
jouez-le gagnant

LE PEN
PRÉSIDENT

LEVI-TOURNAY

TAXE COMMUNALE
ACQUITTÉE

NOUS IRONS
PLUS LOIN
ENSEMBLE.

Chirac Président

- de nouveaux droits pour les travailleurs dans leurs entreprises

- la semaine de travail à 39 heures (payées comme 40), la cinquième semaine de congés payés, et l'âge légal de la retraite à 60 ans

- l'augmentation du SMIC et de la plupart des prestations sociales, la création d'un impôt sur les grandes fortunes

- de nouveaux droits aux locataires par rapport à leurs propriétaires

- un budget deux fois plus grand pour la culture

- une extension des « radios libres » (= privées).

En même temps, les débuts des Socialistes ont été marqués par des hésitations, des changements de politique, et l'échec de la politique de relance économique. Cependant il est vrai aussi que les Socialistes ont pu prendre un certain nombre de mesures peu populaires – surtout pour l'économie – que la droite n'a pas su ou osé prendre sous Giscard.

Au bout de cinq ans, donc dans les mois qui précédaient les élections législatives de 1986, le gouvernement a pu annoncer que l'inflation était enfin maîtrisée, que la Bourse était en pleine expansion, que plusieurs sociétés nationalisées marchaient mieux ; mais le chômage surtout restait un point noir. Sans doute un des effets majeurs de ces cinq années de gouvernement socialiste, en tout cas un des plus inattendus, a été de voir la gauche au pouvoir reconnaître assez publiquement que ses mesures et remèdes classiques ne suffisaient pas dans une économie moderne donc internationale.

Il a été frappant aussi de voir dans les années 1980 le terme « libéral » (= une droite moins conservatrice et moins étatiste en matière économique) revenir à la mode, par opposition aux échecs socialistes et sans doute aussi sous l'influence de la politique économique américaine sous Reagan.

MM. Mitterrand et Chirac

12. (...) des sujets sur lesquels le gouvernement de M. Chirac risque de se heurter à l'opinion. L'amélioration des mesures d'aide pour un troisième enfant, l'instauration d'une aide pour le retour des immigrés et le changement du code de nationalité, la libération des prix, le retour au mode de scrutin majoritaire, obtiennent une nette majorité d'opinion favorable. En revanche, la suppression de l'impôt sur les grandes fortunes, la suppression de l'autorisation administrative de licenciement, l'introduction d'un système d'assurance privée dans la sécurité sociale, suscitent davantage de « non » que de « oui ». Comme si les acquis sociaux devaient être protégés. A remarquer : la privatisation d'une ou deux chaînes de télévision n'est pas souhaitée par les Français. Même l'électorat majoritaire apparaît divisé sur le sujet.

Le Monde, 25 mars 1986

Voici quelques éléments majeurs de la plate-forme électorale de la droite en 1986 :

- de nombreuses dénationalisations, surtout dans le secteur concurrentiel (= pas les services publics)
- une libéralisation de l'économie (en réduisant la place de l'Etat et en libérant les prix)
- la suppression de l'impôt sur les grandes fortunes, une réduction des prélèvements obligatoires et du taux maximal d'imposition
- une réglementation plus flexible du travail (pour les licenciements et le temps de travail en particulier)
- un renforcement de la sécurité et un contrôle plus strict de la situation des immigrés
- rétablir le scrutin majoritaire
- favoriser l'emploi des jeunes
- développer une politique familiale (surtout pour le troisième enfant)
- donner le libre choix d'une école et une certaine autonomie aux établissements d'enseignement supérieur (avec possibilité de sélection)
- déréglementer le secteur immobilier (loyers, construction)
- libérer la communication en « privatisant » une chaîne de télévision

13. « Jamais la zone du consensus n'a été plus large. Elle porte sur les institutions. Sur la politique d'indépendance politique et militaire dans le cadre de l'alliance atlantique. Sur l'Europe. Sur la décentralisation. Et, dans une moindre mesure, sur l'économie et sur les libertés (...)

Les Français dans leur immense majorité n'attendent de miracle ni de l'une ni de l'autre de ces forces [droite et gauche]. Ils attendent qu'elles apprennent à mieux vivre ensemble que par le passé, à se persuader que chacune a besoin de l'autre, puisque aussi bien personne ne détient la clé du bonheur des peuples, puisque tout gouvernement a besoin, pour ne pas abuser de son pouvoir, de rencontrer une résistance, une force de critique. »

Le Monde, 15 mars 1986

On a donc vu un gouvernement socialiste vouloir décentraliser l'Administration mais continuer de diriger l'économie à travers des nationalisations, et un gouvernement de droite réclamer plus de liberté tout en voulant renforcer la sécurité policière et en contrôlant de plus près la situation des immigrés. Le tableau suivant

Le 16 mars 1986 la France a changé de majorité, avec 55% des voix à la droite, 32% au P.S. et 10% au P.C., et une nouvelle distribution de sièges à l'Assemblée.

RÉPARTITION
DES SIÈGES À L'ASSEMBLÉE
APRÈS LES ÉLECTIONS
DE 1986 ET 1988

1986

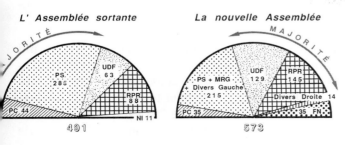

1988

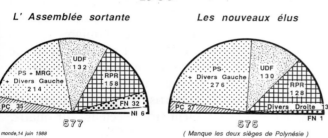

Le monde, 14 juin 1988

(Manque les deux sièges de Polynésie)

C'est une défaite pour les Socialistes, un rude échec pour le P.C., et une victoire inattendue dans son ampleur pour le Front National. On estime que si la France avait voté selon le scrutin majoritaire la majorité de l'UDF et du RPR aurait été de 60 sièges environ (ce qui leur aurait donné plus d'indépendance à l'égard du FN). On remarque aussi des changements dans la façon de voter. Les deux grandes nouveautés sont l'arrivée parlementaire du Front National et le fait que les femmes ont voté presqu'autant à gauche qu'à droite.

La cohabitation entre un Président socialiste et un Premier Ministre de droite s'est passée sans crise majeure. Ceci s'explique sans doute par le fait qu'il y a de plus en plus de consensus sur les institutions et sur les grands problèmes économiques et sociaux, qui résistent aussi bien aux solutions de droite que de gauche, et le fait que

14. Ce sont les « nouvelles femmes » qui votent le plus à gauche : elles ont moins de 50 ans, elles habitent en ville, elles ont fait des études secondaires, et elles travaillent souvent. La palme de l'indépendance revient aux 18-20 ans : un écart de 13 points sépare les deux sexes de cette génération. Aux législatives, 53 % des filles et 40 % des garçons ont voté à gauche...

Deux facteurs différencient fondamentalement les femmes des hommes. Elles sont d'abord soucieuses de justice sociale et d'humanitarisme. Les hommes, eux, défendent surtout une image de la France, et se déterminent, par exemple, sur l'immigration. Et puis, il y a la diffusion, depuis quelques années de ce que j'appellerai le féminisme ordinaire : les femmes ne veulent pas qu'on revienne sur leurs acquis.

in *Le Point*, 3 décembre 1986

Profil des électorats Mitterrand et Chirac

	Mitterrand	Chirac
Ensemble	54	46
Sexe		
Homme	54	46
Femme	54	46
Âge		
18-24 ans	56	44
25-34 ans	65	35
35-49 ans	57	43
50-64 ans	46	54
65 ans et plus	43	57
Profession de l'électeur		
Agriculteur	29	71
Petit commerçant, artisan .	37	63
Profession libérale	42	58
Cadre supérieur	46	54
Enseignant et serv. méd. soc.	70	30
Cadre moyen	58	42
Employé de bureau	60	40
Employé de commerce	58	42
Ouvrier	74	26
Personnel de service	74	26
Statut		
Salarié	74	26
Salarié privé	59	41
A son compte	31	69
Chômeur	62	38
Inactif	46	54
Pratique religieuse		
Catholique pratiquant	33	67
Catholique non pratiquant . .	56	44
Sans religion	74	26
Autre religion	69	31

15. Le leader du Front National veut voir non pas cette France multiple et changeante, en permanente évolution, mais une France prédéterminée : « A son commencement, il y a le sol, un espace délimité par la géographie du peuple français. Tous les êtres vivants se voient assigner par la nature des aires vitales conformes à leurs dispositions ou à leurs affinités. » Curieuse réapparition de la théorie de l'espace vital... Il refuse de voir la construction d'un pays qui s'est étendu d'annexion en annexion : la Bresse ne devient française qu'en 1601, la Corse en 1768, la Savoie ne le redevient qu'en 1860... Il préfère imaginer un peuple homogène, unique, sorte de grande famille dont les fils descendent des Gaulois et des Francs. Là s'établit la continuité de « la race française », qui doit demeurer pure et refuser de s'abandonner au métissage. « Si on intègre machinalement, mécaniquement, administrativement une forte dose de substance étrangère à la substance foncièrement, naturellement, historiquement française, on va dénaturer cette substance », dit Antoine Figueras, l'un des fidèles de Le Pen.
L'Express, 22 avril 1988

de moins en moins de Français se voient comme de gauche ou de droite. Ainsi, les élections présidentielles de 1988 ne se présentaient plus comme un « choix de société » (1981), et l'on a assisté à une campagne plus personnelle et plus personnalisée, où les médias et surtout la télévision ont joué un rôle encore plus grand, et où ce qui importait était autant ou plus l'image du candidat que son programme.

Il semble que beaucoup aient vu en Mitterrand l'homme d'état rassurant et en Chirac le prétendant ambitieux. En tout cas, ce sont ces deux hommes qui ont remporté le plus de voix au premier tour des présidentielles, avec 34% et un peu moins de 20% respectivement. Le déclin du Parti Communiste a continué, avec moins de 7%, mais Jean-Marie Le Pen (plus de 14%) a surpris même les experts. Il semble avoir recueilli beaucoup de votes de protestation (= dire « non » en votant pour le candidat le plus extrême), qui seraient allés autrefois au P.C., mais il est indéniable qu'un certain nombre de Français sont prêts comme lui à rendre les immigrés responsables des problèmes très difficiles à résoudre et même d'une France qui perdraient ses valeurs traditionnelles en évoluant. Certains experts parlent même d'un nouveau clivage politique, entre les partis de gouvernement (PS, UDF, RPR), qui rassemblent trois électeurs sur quatre, et les partis de contestation (PC et FN).

Le 8 mai 1988 Mitterrand est élu par 54% des voix pour un second mandat présidentiel de sept ans. Comme en 1981, les reports de voix ont favorisé le candidat de gauche — un sur sept des électeurs de Barre au premier tour, et un sur quatre de ceux qui avaient voté pour Le Pen, ont voté Mitterrand au second tour. Chirac donne sa démission comme Premier Ministre, et Mitterrand fait appel à Michel Rocard, un Socialiste plutôt libéral, pour former un nouveau gouvernement. Comme il est en minorité à l'Assemblée, et comme son projet d'ouverture vers le centre n'a pas abouti, Mitterrand décide de dissoudre l'Assemblée et de procéder à des élections législatives en juin. Les Communistes, en raison de leur forte concentration géographique, maintiennent à peu près leur nombre de sièges, mais le scrutin majoritaire provoque la disparition presque totale de la représentation FN.

Surtout — fait nouveau — il n'y a de majorité ni pour les Socialistes ni pour les partis de droite (devenu U.R.C. ou Union du Rassemblement et du Centre = RPR + UDR), ce qui oblige Mitterrand et Rocard à chercher leurs alliés soit à leur gauche (P.C.) soit à leur droite (le centre). Et certains parlent d'un nouveau type de cohabitation.

A votre avis, en France aujourd'hui, des socialistes ou des libéraux, lesquels sont le plus capables de :

En %	Les socialistes	Les libéraux	Ni les uns ni les autres
Limiter la hausse des prix	**35**	20	34
Elever la qualité de l'Education nationale	**33**	26	23
Améliorer la formation professionnelle des jeunes	**32**	24	26
Assurer la liberté de la télévision	**30**	28	23
Assurer la sécurité des Français	17	**42**	24
Défendre le franc	20	**34**	23
Améliorer la situation de l'emploi	19	20	**49**
Limiter les impôts	27	23	**35**

L'Expansion, 17 avril 1987

Les premières mesures à suivre

	ORDRE DE PRIORITÉ				
	Ensemble	PC	PS	URC	FN
– L'instauration d'un revenu minimum social garanti pour les personnes sans ressources	1	1	1	1	2
– La réduction des inégalités des revenus entre les catégories de Français	2	2	2	2	7
– Le rétablissement de l'impôt sur les grandes fortunes	3	3	3	10	8
– La réduction de l'impôt sur les sociétés	4	3	7	3	5
– Le recours au référendum sur des problèmes de société	5	8	4	5	4
– La poursuite des privatisations	6	11	12	4	3
– Le rétablissement de l'autorisation administrative de licenciement	7	4	5	8	9
– L'augmentation de la part du budget national consacrée à l'aide au tiers monde	8	6	6	9	10
– Le retour dans leur pays des immigrés non membres de la CEE	9	12	10	6	1
– La diminution du nombre des fonctionnaires	10	10	11	7	6
– L'indépendance à terme de la Nouvelle-Calédonie	11	5	8	12	11
– L'abaissement de la durée du travail avec réduction du salaire	12	7	9	11	12

Le Figaro, 13 juin 1988

POUR OU CONTRE :

OPINION ET JUGEMENT

l'opinion

- *« avec le scrutin majoritaire l'ensemble des opinions est moins bien représenté... la proportionnelle traduit mieux la diversité des opinions »*

  le point de vue
  « caractériser les deux points de vue à partir de mots-clefs »

  l'avis, à mon (son, votre, etc.) avis
  « à votre avis, qui de la gauche ou de la droite... » *
  N.B. On dit à son avis, mais on est de l'avis de quelqu'un, de son avis.

  voir quelqu'un, quelque chose, **en termes de**
  « la tendance à voir les problèmes en termes de politique et d'idéologie »

juger, le jugement

- *« il faut éviter de juger trop vite »*
  « même jugement négatif à l'égard de la fiscalité » *
  N.B. on porte un jugement sur...

  considérer que
- *« on considère, généralement, que le risque est l'apanage de la droite et la sécurité une valeur de gauche »* *
  N.B. On considère une chose comme bonne, mauvaise, etc.

  estimer que = trouver que
  « les experts estiment que la France n'a pas besoin des niveaux départemental et régional tous les deux »
  « certains trouvent que les fonctionnaires ont une situation trop confortable »

  choisir, le choix = la hiérarchie, la (les) priorité(s)
  « l'Etat français est hiérarchisé »
  « quelle est la forme de libéralisme que vous souhaitez voir développer en priorité dans les prochaines années ? » *
  « les données qui déterminent et reflètent des choix de société »
  « il faut choisir entre une majorité "exagérée" et un vote "démocratique" »

l'accord, se mettre d'accord = le consensus ≠ le refus (de), la protestation

- *« signer un accord pour gouverner ensemble... conclure un accord en vue des élections »*
  « les divers courants ont souvent du mal à se mettre d'accord sur une politique durable »

« un certain consensus politique est peut-être en train de naître »
« un certain refus de s'adapter chez les communistes »
« l'existence d'un vote de protestation »

- **dire « oui »/« non » = être favorable/opposé à**
  « dire plutôt "non" à la majorité que "oui" au P.C. »
  « le P.S. et le P.C. sont opposés l'un à l'autre en ce qui concerne le rôle de l'Etat »
  « l'amélioration des mesures d'aide, etc.,... obtiennent une nette majorité d'opinion favorable. En revanche, la suppression de l'impôt sur les grandes fortunes, etc.,... suscitent davantage de "non" que de "oui" » *

  être satisfait de
- *« quelles sont les administrations dont vous êtes le plus satisfait ? »* *

EXERCICES

On le dit souvent, tout finit par la politique. C'est pourquoi nous proposons ensemble les exercices sur la politique et sur l'opinion, mais vous pourrez bien entendu faire un choix en fonction de votre groupe ou classe.

I. Définir ou utiliser dans une phrase.

PARTIE A	PARTIE B
1. jacobin	**1.** premier ministre
2. commune	**2.** gouvernement
3. décentralisation	**3.** assemblée
4. administration	**4.** scrutin majoritaire
5. fonctionnaire	**5.** libéral
6. « se débrouiller »	
7. radical	

II. Formulez des réponses aux questions ou des questions pour les réponses, sans utiliser la même expression de pour ou contre dans la question et dans la réponse.

1. Comment la plupart des Français jugent-ils l'Etat ?

2. Personnellement je considère la gauche comme plus attachée au bonheur des gens.

3. Quelle est l'opinion des Français sur la bureaucratie ?

4. Du point de vue de la droite, les nationalisations ont été une grave erreur.

5. Pourquoi ne sont-ils pas d'accord avec les communistes ?

6. A leur avis la droite était un meilleur choix que la gauche en 1986.

7. Les électeurs ont-ils été satisfaits de leur candidat ?

8. Ils refusent catégoriquement une alliance avec le Front National.

9. Pourquoi ne sont-ils pas favorables au scrutin proportionnel ?

10. Non : les uns sont pour l'immigration, les autres sont contre.

III. Commentez les réponses au sondage sur le rôle de l'Etat (extrait n° 1) en utilisant cinq expressions différentes de pour ou contre.

IV. Discussion (orale ou écrite — c'est aussi le moment d'utiliser les expressions d'opinion).

PARTIE A

1. Quel est — et devrait être — la place de l'Etat chez vous ?

2. La bureaucratie est-elle un mal nécessaire ? Etes-vous pour ou contre le droit de grève dans le secteur public ? Expliquez.

3. Quelles sont les divisions politiques majeures de votre pays ? à votre avis, qui vote quoi ?

PARTIE B

1. Quelles différences y a-t-il entre les institutions politiques françaises et les vôtres ?

2. Lequel considérez-vous comme préférable, un régime présidentiel ou un régime parlementaire ? Pourquoi ?

3. Donnez-vous une identité française (âge, sexe, métier, région, etc.), et dites pour qui vous auriez voté et pourquoi ?

Nous avons voulu, dans ce livre, donner une idée de ce qui distingue la France contemporaine de ses voisins et d'autres pays comparables, et aussi ce qui distingue un Français d'un autre. Le fait qu'un certain consensus politique est peut-être en train de naître ne signifie pas que l'on pourra généraliser plus facilement ou plus justement sur les Français, mais simplement que les choses changent à des vitesses différentes (« Plus ça change,.... »).

Enfin, estimant que l'avenir appartient surtout aux jeunes et que la politique cherche à procurer le plus grand bonheur au plus grand nombre, c'est-à-dire qu'elle aussi est culturelle en fin de compte, nous avons ajouté un dernier chapitre, fait justement d'articles et de sondages sur les jeunes, l'avenir et le bonheur. A vous d'exercer maintenant vos connaissances sur les priorités de la France de demain.

8. D'AUJOURD'HUI A DEMAIN

Nous présentons ici un certain nombre d'extraits d'articles et de sondages qui traitent de valeurs et d'aspirations. Il est donc question du monde et surtout de la France d'aujourd'hui mais aussi de demain, le monde où nous allons ou nous pourrions aller. C'est pourquoi nous avons cherché en particulier des réponses de jeunes, car ce monde sera à eux, même s'il n'a pas nécessairement été fait par eux ou pour eux.

Les textes sont présentés en trois groupes : d'abord des perspectives d'adultes, ensuite le point de vue de jeunes Français, et enfin plus directement des visions de l'avenir. et enfin plus directement des visions de l'avenir.

Deux ou trois remarques en ce qui concerne les sondages :

1) il faut distinguer entre des sondages « aléatoires » (= au hasard, questions posées à des gens sans « construire » le public du questionnaire) et ceux faits selon la méthode des « quotas » (on établit un échantillon représentatif selon l'âge, le sexe, le niveau d'études, le revenu, la distribution géographique, l'adhésion politique, etc.)

2) les experts estiment généralement qu'il faut un échantillon de 2 000 personnes pour obtenir des résultats « sérieux » (c'est donc une entreprise très chère) ;

3) le libellé des questions (= la façon dont elle sont écrites) n'est que plus ou moins objectif, et peut aussi être influencé par le client (le groupe ou le journal qui commande le sondage).

Enfin, le client ne publie pas nécessairement tous les résultats, et nous ne présentons ici que des extraits, pour les sondages mais aussi pour les textes. D'ailleurs, nous ne proposerons pas d'autres explications (en dehors de préciser le groupe de référence quand il s'agit de jeunes) ni d'exercices, puisque nous voulons que ces textes vous permettent d'exercer librement vos nouvelles connaissances. Qu'est-ce que ces extraits révèlent des Français ? Les mêmes questions seraient-elles pertinentes chez vous ? Vous et vos contemporains auriez-vous répondu de la même façon ?

❶

« Les grands mots », in *L'Express*, 12 avril 1985 et *Francoscopie* (1985).

HIER	AUJOURD'HUI
Collectivité	Individu
Travail	Loisirs
Patrie	Entourage restreint
Famille-tribu	Famille-association
Religion	Matérialisme
Effort	Jouissance
Esprit	Corps
L'homme	Les deux sexes
Plus tard	Maintenant
Certitude	Doute
Optimisme	Angoisse
Gigantisme	Petites unités
Centralisation	Décentralisation
Hiérarchie	Structures transversales
Croyance dans le progrès	Peur technologique
La même chose pour tous	Multiplicité des choix
L'homme unidimensionnel	L'homme multidimensionnel
Idéologie	Pragmatisme
Mode	Look
Solidarité	Egologie
Paraître	Etre
Etat-providence	Etat-d'exception
Société centripète	Société centrifuge
Epargne	Consommation

❷ « Grand-père, qu'est-ce que tu penses ? »
in *Figaro Magazine*, 16 novembre 1985

Pour chacune de ces périodes, diriez-vous que la vie des Français, à ce moment-là, a été très heureuse, assez heureuse ou pas heureuse ?

	HEUREUX		PAS HEUREUX	SANS OPINION
	très	assez		
... avant 1914	(9) **35**	(26)	**31**	**34**
... de 1914 à 1918	(1) **13**	(12)	**68**	**19**
... de 1919 à 1939	(15) **71**	(56)	**22**	**7**
... de 1940 à 1944	**10**	(10)	**81**	**9**
... de 1945 à 1958	(10) **78**	(68)	**13**	**9**
... de 1959 à 1973	(18) **83**	(65)	**10**	**7**
... depuis 1974	(10) **68**	(58)	**23**	**9**

Parmi ces choses qui ont disparu ou qui ne sont plus ce qu'elles étaient, quelles sont celles que vous regrettez le plus ?

Les petits métiers (chanteur de rue, rémouleur, etc)	33
Les bals, les bals musettes	26
Les fêtes foraines, les cirques ambulants	25
Les processions, les pèlerinages	20
Les défilés du 14 juillet	15
Les prêtres en soutane	15
La cuisine mijotée	14
Les cafés d'avant-guerre	14
Les grands paquebots (*Normandie, Mermoz*)	14
Les grandes expositions	7
Des journaux (« Le Petit Parisien », « Paris-Soir », « l'Oeuvre »)	7
Rien du tout	21
Sans opinion	4

Le total des pourcentages est supérieur à 100, les personnes interrogées ayant pu donner plusieurs réponses.

Parmi ces inventions, quelles sont celles qui, selon vous, ont le plus changé la vie au cours du XXᵉ siècle?

Les équipements ménagers (réfrigérateur, machine à laver)	78
La télévision	72
Le téléphone	69
Le chauffage central	52
L'automobile	48
La radio	33
Les vaccins	32
Les antibiotiques	29
La pilule pour la contraception	24
L'avion	23
L'ordinateur	15
Le cinéma	9
Aucun en particulier	1
Sans opinion	—

Le total des pourcentages est supérieur à 100, les personnes interrogées ayant pu donner plusieurs réponses.

Parmi les points suivants, y en a-t-il qui vous inquiètent personnellement dans la France d'aujourd'hui?

Les agressions et les vols	71
Le laisser-aller de la jeunesse	48
La perte du sens de la famille	42
Une trop grande liberté sexuelle	41
La perte de respect pour les parents	37
La disparition du petit commerce et des métiers traditionnels	37
Le trop grand nombre d'immigrés	37
Le manque de solidarité entre les citoyens	35
L'abandon des valeurs religieuses	31
La perte du rôle éducatif de l'école	30
Une trop grande facilité pour l'avortement	25
La perte du sens patriotique	22
Rien de tout cela	2
Sans réponse	3

Le total des pourcentages est supérieur à 100, les personnes interrogées ayant pu donner plusieurs réponses.

Avez-vous encore des activités sexuelles?

— Oui	12
— Non	65
— Refusent de répondre	23

La dernière fois que vous avez vu l'un de vos enfants, était-ce il y a a...

... une semaine ou moins	81
... environ un mois	12
... environ trois mois	2
... environ six mois	1
... un an ou un peu plus	1
... depuis plusieurs années	2
... Sans réponse	1

Parmi toutes ces tendances, quelle est celle qui est la plus proche de vos idées?

	Comparaison enquête nationale Le Point/Sofres février 1985	Personnes âgées
• Conservateur	4	7
• Modéré	17	27
• Libéral	19	6
• Gaulliste	13	15
• Social-démocrate	7	4
• Socialiste	25	17
• Communiste	5	3
• Révolutionnaire	2	1
Sans opinion	8	20

D'une manière générale, estimez-vous que personnellement vous vous intéressez à la politique?

	Comparaison enquête nationale presse de province/Sofres octobre 1985		Personnes âgées	
... beaucoup	16	} 60	10	} 38
... un peu	44		28	
... très peu	23	} 39	22	} 62
... ou pas du tout	16		40	
Sans opinion	1		—	

Intention de vote aux élections législatives

	Comparaison enquête Figaro/Sofres octobre 1985	Personnes âgées
Liste du parti communiste	10	7
Liste du P.S.U. et de l'extrême-gauche	2	0,5
Liste du parti socialise	23	25,5
Liste du mouvement des radicaux de gauche	3	3
Total gauche	38	36
Liste du mouvement écologiste	3	2
Liste U.D.F.	20	27
Liste R.P.R.	25	24
Liste divers opposition	5,5	3
Liste du front national	8,5	8
Total droite	59	62
N'ont pas exprimé d'intention de vote	22	35 %

Parmi ces événements, quels sont ceux qui, personnellement, vous ont le plus marqué ?

La fin de la Première Guerre mondiale	34
La crise de 1929 et ses répercussions	9
L'arrivée de Hitler au pouvoir	29
Le Front populaire	17
Les accords de Munich	7
La défaite de 1940 et l'exode	64
L'occupation allemande	65
Le débarquement en Normandie	37
La décolonisation	7
La guerre d'Algérie	23
Le retour du général De Gaulle en 1958	34
Les événements de mai 1968	14
La mort du général De Gaulle en 1970	30
La montée du chômage dans les dix dernières années	49
La victoire de la gauche en 1981	14
Sans opinion	4

Le total des pourcentages est supérieur à 100, les personnes interrogées ayant pu donner plusieurs réponses.

Au cours de votre vie, avez-vous le sentiment que vous avez évolué vers les idées de droite ou vers les idées de gauche ?

Vers les idées de droite	22
Vers les idées de gauche	15
N'a pas changé	51
Sans réponse	12

Quand vous pensez à l'avenir de la France dans les vingt prochaines années, êtes-vous...

plutôt optimiste	28
ou plutôt pessimiste	51
Sans opinion	21

Pouvez-vous me dire quelles sont les activités que vous aimez le plus ?

Regarder la télévision	58
La lecture	42
Les occupations manuelles : coudre, jardiner, bricoler, etc.	38
Ecouter la radio	26
Se réunir entre amis	25
Participer à une association (dans votre quartier, votre paroisse, club du troisième âge, etc.)	17
Jouer aux cartes, aux échecs, etc.	15
Les activités physiques : le sport, les promenades	14
Les voyages	13
Les sorties : le cinéma, le théâtre, les expositions, etc.	6
Sans opinion	1

Le total des pourcentages est supérieur à 100, les personnes interrogées ayant pu donner plusieurs réponses.

Qu'est-ce que vous craignez le plus pour vous-même dans les prochaines années ?

La maladie	73
Les agressions	28
La solitude	25
Les problèmes d'argent	10
La mésentente familiale	4
Rien du tout	6
Sans opinion	1

Le total des pourcentages est supérieur à 100, les personnes interrogées ayant pu donner plusieurs réponses.

Pensez-vous à la mort...

... très souvent	21	59
... de temps à autre	38	
... rarement	17	40
... jamais ou presque jamais	23	
— Sans opinion	1	

❸ « Le bonheur aujourd'hui », in *Le Nouvel Observateur*, 7 octobre 1983, et Sofres, *L'Opinion française*, 1984 (Gallimard, 1984).

En 1973, lorsque l'on demandait aux Français de définir spontanément ce qu'était pour eux le bonheur, l'équation bonheur = santé était la plus fréquemment citée (60 % des réponses). La sécurité matérielle (43 %) et les joies de la famille (38 %) complétaient ce portrait fort classique du bonheur...

Si on vous demandait à brûle-pourpoint : « Est-ce que vous êtes heureux ? », que répondriez-vous ?

	« Le Nouvel Observateur »/ Sofres août 1973	Septembre 1983
Très heureux	26	24
Plutôt heureux	63	68
Plutôt malheureux	8	7
Très malheureux	1	—
Sans opinion	2	1
	100 %	100 %

Diriez-vous que, dans l'ensemble, les Français sont plus heureux ou moins heureux qu'il y a dix ans ?

		Plus heureux	Moins heureux	Ni plus ni moins heureux	Sans opinion
Ensemble	100 %	30	47	21	2
Préférence partisane					
Parti communiste		43	35	22	—
Parti socialiste		38	38	22	2
U.D.F.		25	54	20	1
R.P.R.		21	68	10	1

Qu'est-ce que le bonheur pour vous ? (Réponses spontanées)

	Rappel enquête Nouvel Observateur Sofres août 1973	Septembre 1983
La sécurité matérielle, le bien-être (avoir du travail, de l'argent)	43	49
La santé	60	34
La famille (avoir une vie de famille heureuse, une bonne entente)	38	31
La liberté (vivre dans un pays libre, pouvoir faire ce que l'on veut).........	7	12
Etre bien dans sa peau, se sentir bien avec soi-même.....................	"	11
La paix	"	8
Autres réponses	"	4
Sans réponses	"	3
	% (1)	% (1)

(1) Le total des pourcentages est supérieur à 100, les personnes interrogées ayant pu donner plusieurs réponses.

En ce qui concerne les valeurs, les grands principes de notre société, qu'est-ce qui contribuerait le plus à vous rendre heureux :
— **Qu'autour de vous la famille, le travail et la religion soient mieux respectés ?**
— **Qu'autour de vous règne la plus grande liberté dans la façon de vivre des gens ?**
— **Que disparaissent les inégalités entre les différentes classes sociales ?**

	Le respect des valeurs traditionnelles	Une plus grande liberté	La disparition des inégalités	Sans opinion
Ensemble des Français 100%	33	25	39	3
Age				
18 - 24 ans	18	35	44	3
25 - 34 ans	18	34	46	2
35 - 49 ans	35	27	36	2
50 - 64 ans	38	15	44	3
65 ans et plus	57	12	28	3
Profession du chef de famille				
Agriculteur, salarié agricole	29	26	41	4
Petit commerçant, artisan	27	35	38	—
Cadre supérieur, profession libérale, industriel, gros commerçant	33	36	28	3
Cadre moyen, employé	29	29	41	1
Ouvrier	23	25	49	3
Inactif, retraité	51	14	32	3
Préférence partisane				
Parti communiste	7	19	74	—
Parti socialiste	23	24	51	2
U.D.F.	47	25	25	3
R.P.R.	47	26	26	1
Niveau d'instruction				
Primaire	41	15	40	4
Secondaire	33	27	39	1
Technique et commercial	22	26	49	3
Supérieur	28	43	28	1
Religion				
Catholique pratiquant régulier	63	7	28	2
Catholique pratiquant occasionnel	50	22	27	1
Catholique non pratiquant	26	25	45	4
Sans religion	8	40	49	3

Les choses que l'on craint particulièrement dans le monde d'aujourd'hui. (Réponses spontanées) (1)

Ensemble des interviewés ayant déclaré craindre particulièrement certaines choses dans le monde d'aujourd'hui (84% de l'échantillon)

La guerre, les conflits	57
Le chômage	17
La maladie, la mort	10
Les attentats, la violence, les agressions	9
L'insécurité (sans autre indication)	7
L'avenir (sans autre indication)	6
L'intolérance, le racisme	5
La révolution	3
Autres réponses	14

(1) Le total des pourcentages est supérieur à 100, les personnes interrogées ayant pu donner plusieurs réponses.

Parmi les choses suivantes, quels sont, selon vous, les deux obstacles principaux au bonheur?

	Rappel enquête Nouvel Observateur Sofres août 1973	Septembre 1983
L'insécurité matérielle, (risque de chômage, etc.)	26	41
L'oubli des « vrais valeurs » (amitié, générosité)	29	33
Le manque d'argent	31	26
La solitude	18	25
Les conditions de la vie moderne (air pollué, bruit, fatigue, etc.)	32	21
Le manque de temps	18	13
Le système social	11	8
Le manque d'intérêt au travail	9	8
Le manque d'instruction	11	7
Les conditions du logement	12	5
Sans opinion	2	1
	% (1)	% (1)

(1) Le total des pourcentages est supérieur à 100, les personnes interrogées ayant pu donner plusieurs réponses.

Pour chacune des choses suivantes, diriez-vous, si on la supprimait, que ce serait pour vous : très grave, assez grave, peu grave, pas grave du tout?

En %	Très grave	Assez grave	Peu grave	Pas grave du tout	Sans opinion
La Sécurité sociale (Avril 1983)	85	12	1	1	1
Décembre 1976 (rappel)	*79*	*17*	*2*	*1*	*1*
Le droit de vote (Avril 1983)	81	14	3	1	1
Décembre 1976 (rappel)	*73*	*19*	*3*	*3*	*2*
Le libre choix de l'entreprise où l'on travaille (Avril 1983)	80	16	2	—	2
Décembre 1976 (rappel)	*72*	*20*	*2*	*1*	*5*
La possibilité de fonder une entreprise, de se mettre à son compte (Avril 1983)	77	19	2	—	2
Décembre 1976 (rappel)	*62*	*25*	*5*	*2*	*6*
Le libre choix de l'école où l'on met ses enfants (Avril 1983) (1)	77	16	4	2	1
La liberté de la presse (Avril 1983)	70	20	7	1	2
Décembre 1976 (rappel)	*63*	*23*	*6*	*3*	*5*
Le droit de grève (Avril 1983)	49	26	14	6	5
Décembre 1976 (rappel)	*43*	*26*	*15*	*12*	*4*
Les syndicats (Avril 1983)	40	30	16	9	5
Décembre 1976 (rappel)	*36*	*31*	*15*	*12*	*6*
Les partis (Avril 1983)	33	30	19	11	7
Décembre 1976 (rappel)	*28*	*27*	*20*	*15*	*10*

(1) La question n'avait pas été posée en 1976.

4 « Les Français et la France, in *L'Expansion*, 6 mai 1983. (Sondage = 1 000 personnes de plus de 18 ans).

Parmi les phrases suivantes, quelles sont celles qui correspondent le mieux à votre idée du bon citoyen?

En % (Plusieurs réponses possibles)	Ensemble		Selon la préférence politique			
	Avril 1983	Déc. 76 *(rappel)*	PC	PS	UDF	RPR
Il cherche à s'informer sur la vie du pays	57	*59*	56	62	60	59
Il respecte les règlements	56	*56*	50	54	58	63
Il élève bien ses enfants	50	*54*	41	45	53	58
Il vote régulièrement	43	*51*	47	44	41	50
Il s'occupe de ses affaires sans faire d'histoires	31	*37*	24	31	37	32
Il paie ses impôts sans chercher à frauder le fisc	31	*35*	34	28	36	35
Il est inscrit à un syndicat	7	*11*	28	8	4	2
Il est inscrit à un parti	3	*5*	19	3	1	2
Sans opinion	2	*3*	2	1	—	—

En %	Très grave	Assez grave	Peu grave	Pas grave	Sans opinion
Si on supprimait la Sécurité Sociale :					
inactif, retraité	88	10	1	—	1
ouvrier	87	11	1	1	—
cadre moyen, employé	87	11	1	1	—
agriculteur, salarié agricole	76	14	6	—	4
cadre supérieur, prof. libérale, industriel, gros commerçant	75	21	1	2	1
petit commerçant, artisan	69	19	—	10	2
Si on supprimait le droit de vote?					
homme	86	10	3	1	—
femme	75	18	4	1	2
Si on supprimait la possibilité de se mettre à son compte:					
PC	65	24	9	1	1
PS	76	21	2	—	1
UDF	83	15	1	—	1
RPR	84	13	2	—	1
Si on supprimait le libre choix de l'école?					
petit commerçant, artisan	83	10	4	2	1
inactif, retraité	80	13	2	3	2
cadre moyen, employé	79	13	4	2	2
cadre supérieur, prof. libérale, industriel, gros commerçant	77	8	8	4	3
ouvrier	73	20	4	2	1
agriculteur, salarié agricole	67	29	3	—	1
Si on supprimait le droit de grève?					
PC	81	13	3	3	—
PS	61	23	10	3	3
UDF	29	37	22	8	4
RPR	38	29	17	12	4
Si on supprimait les syndicats?					
18 à 24 ans	47	34	16	1	2
25 à 34 ans	48	27	17	6	2
35 à 49 ans	41	30	15	11	3
50 à 64 ans	34	33	14	13	6
65 ans et plus	32	28	19	11	10

❶ «Bonjour les jeunes, c'est pour un sondage... », in *La Vie*, 25 octobre 1984.

[600 personnes représentatives de la population âgée de 15 à 25 ans]

(...) Ceux dont je parle ont entre 15 et 25 ans et ils sont environ 8 millions et demi. Qu'il y ait entre eux et nous, les plus vieux, des divergences, voire des affrontements, la belle affaire ! Depuis que le monde est monde, avoir 20 ans, c'est avoir 20 ans, non !

Mais soudain, il semble que quelque chose se soit cassé. 1968, la crise, la peur, les trop grandes attentes que nous mettons en eux, que sais-je... Parce que leurs mots et leurs modes nous surprennent trop, voilà que nous avons tendance à les résumer en slogans. Un aumônier de lycée parisien qui les connaît bien va jusqu'à dire : « La société donne d'eux une image en trois couleurs : drogue, musique, sexe... » Et il ajoute ce diagnostic sévère qui nous est adressé : « Depuis des générations, les guerres venaient à point supprimer les élites. Les jeunesses pouvaient prendre la place. Aujourd'hui, que faire d'eux ? Nous vivons dans une société frileuse, qui a peur et qui veut des sécurités. Les jeunes nous apparaissent comme une menace. »

(...) Mais l'idéal, qu'est-ce que c'est quand on a 15 ans, 20 ans ou 25 ans ? Des mots reviennent inlassablement dans leur bouche : le plaisir, la liberté, l'honnêteté, l'argent. Reprenons notre voyage. Eric, 21 ans, contrôleur aérien : « Se faire plaisir dans tous les domaines, voilà ce qui est». important ». Christine, 18 ans, élève infirmière : « L'idéal ? Etre partie prenante de ce qu'on vit. L'argent ? Très important : je pourrai me faire plaisir et faire plaisir aux autres. » Patricia, 17 ans, lycéenne : « Je me fixe un but et j'essaie d'aller jusqu'au bout. La réussite sociale qui assurera mon indépendance est essentielle. Les études sont pour moi la clé de la liberté (...) »

(...) « Les structures leur font peur, constate Monique Chomel. Ils veulent bien faire des actions ponctuelles mais pas entrer dans un engagement long. Nous, nous croyions qu'en nous engageant nous changerions le monde, pas eux. Ils ne se révoltent pas contre la société contrairement à 68. Ils la tournent en dérision en même temps qu'ils en profitent. Ils ne se sentent aucune prise sur elle. »

Catholique pratiquant régulier	10
Catholique pratiquant irrégulier	12
Catholique non pratiquant	43
Protestant	2
Autre religion	4
Sans religion	29

Trouvez-vous que vous avez plutôt de la chance ou plutôt de la malchance de vivre à l'époque actuelle ?

		Enquête IFOP/L'Express (1957)
Plutôt de la chance	74	53
Plutôt de la malchance	20	19
Sans opinion	6	29

En ce qui concerne Dieu, je vais vous lire cinq affirmations. Vous me direz avec laquelle vous êtes le plus d'accord.

Je crois en Dieu, c'est très important pour moi	16
Je crois en Dieu, mais cela n'est pas très important pour moi	18
Je ne crois pas en Dieu, mais cela m'intéresse de réfléchir à cette question	20
Je ne crois pas en Dieu et cela ne m'intéresse pas du tout	15
Je crois qu'il y a quelque chose au-dessus de nous, mais je ne sais pas si c'est Dieu	31
Sans opinion	—

Je vais énumérer certaines menaces qui pèsent sur la société aujourd'hui, dites-moi celles qui vous paraissent aujourd'hui les plus graves.

Le racisme	51
La faim	55
Le chômage	62
La pollution	29
La drogue	44
La course aux armements	48
Les atteintes aux droits de l'homme	44
L'insécurité	31
Le repli sur soi	18
Sans opinion	—

* Total supérieur à 100% car possibilité de réponses multiples.

Je vais vous lire plusieurs phrases. Pour chacune d'elles, vous me direz si vous êtes plutôt d'accord ou plutôt pas d'accord.

	D'accord	Pas d'accord	Sans opinion
Les religions sont aujourd'hui dépassées	55	39	6
Les religions défendent efficacement les droits de l'homme	25	66	9
Les religions ont l'avantage de proposer un sens à la vie	51	41	8
Les religions, ça ne m'intéresse pas	46	47	7

❷ « Les ados reglos » in Madame Figaro, 26 avril 1986

[titre : les adolescents réguliers = normaux, stables. Sondage auprès de 800 jeunes représentatifs de la population âgée de 13 à 17 ans]

A l'aide de la liste suivante, pouvez-vous me dire quelles sont les deux ou trois choses qui comptent le plus pour vous actuellement ?

La liberté	45
L'amour	29
L'argent	16
La musique	14
Le sport	32
Trouver un métier intéressant	45
L'apparence physique	3
Se développer intellectuellement, se cultiver	11
Les voyages	12
Le bonheur familial	33
Chercher à créer quelque chose soi-même	8
L'amitié	32
Sans opinion	—
	% (1)

(1) Le total des pourcentages est supérieur à 100, les personnes interrogées ayant pu donner trois réponses.

Quand vous avez des soucis, est-ce que vous vous confiez de préférence...

...à votre père	5
... à votre mère	30 } 53
... à votre père et à votre mère	18
... ou à vos amis	42
Sans opinion	5
	100 %

Parmi ces trois formules. laquelle vous semble la meilleure pour un couple ?

Se marier	44
Vivre ensemble sans se marier	51
Vivre chacun de son côté	3
Sans opinion	2
	100 %

A propos du service militaire, pensez-vous qu'il faudrait...

	Ensemble	Réponses des garçons
... le maintenir comme aujourd'hui (12 mois)	42	46
... le maintenir mais avec une durée moins longue (6 mois par exemple)	27	27
... ou le supprimer complètement et le remplacer par une armée de métier	25	24
Sans opinion	6	3
	100 %	100 %

Qu'aimez-vous faire quand vous ne travaillez pas?

Aller au cinéma	49
Lire des bandes dessinées	10
Faire de la mobylette ou de la moto	18
Vous réunir avec des copains	46
Aller au théâtre	2
Écouter de la musique	44
Pratiquer un sport	42
Voir votre petit(e) ami(e)	28
Lire un roman ou un essai	12
Aller danser	20
Jouer avec des jeux électroniques	8
Regarder la télévision	24
Avoir une réunion de famille	2
Faire les boutiques	17
Rien	—
Sans opinion	—

* Le total des pourcentages est supérieur à 100, les personnes interrogées ayant pu donner plusieurs réponses.

Certains jeunes pratiquent régulièrement une activité de groupe. Vous-même, participez-vous à un mouvement de jeunes?

Oui	58
dont: • Club de sport, équipe sportive, groupe de motards	45
• Association d'élèves ou d'étudiants	2
• Groupe culturel ou artistique (théâtre, danse, musique, chant, photo, ciné-club, etc.)	12
• Groupe d'action sociale (alphabétisation, aide au tiers monde, aide aux vieillards, etc.)	2
• Groupe religieux	4
• Autres mouvements	3
Non	42

* Le total des pourcentages est supérieur à 58%, les personnes interrogées ayant pu donner plusieurs réponses.

Est-ce que la société française telle quelle est vous convient?

Très bien	5	} 66
Assez bien	61	
Assez mal	22	} 29
Ou très mal	7	
Sans opinion	5	
	100%	

Quelle est la société qui vous conviendrait le mieux?

Communiste	5	
Socialiste	12	
Libérale	44	} 50
Conservatrice	6	
Sans opinion	33	
	100%	

Avez-vous déjà pris de la drogue?

Oui, souvent	1	} 5
Oui, exceptionnellement	4	
Non	94	
Sans réponse	1	
	100%	

Lisez-vous dans les journaux ou écoutez-vous à la radio ou à la télévision les nouvelles concernant la politique?

Régulièrement	17	} 51
Quelquefois	34	
Rarement	18	} 49
Jamais	31	
Sans opinion	—	
	100%	

Avez-vous déjà eu des relations sexuelles?

Oui, souvent	8	} 23
Oui, exceptionnellement	15	
Non	75	
Sans réponse	2	
	100%	

Estimez-vous que les études préparent bien ?

	Oui	Non	Sans opinion
A l'exercice d'une profession	71	26	3
A savoir se débrouiller dans la vie de tous les jours	59	37	4

Si vous en aviez la possibilité, quels sont parmi ces métiers ceux que vous aimeriez le plus exercer ?

Chef d'entreprise	20
Député	3
Médecin	17
Directeur d'une administration	3
Présentateur du journal télévisé	9
Avocat	13
Metteur en scène	10
Ecrivain	10
Mannequin	13
Directeur d'une agence de publicité	10
Grand reporter	17
Acteur de cinéma	27
Chercheur scientifique	13
Vétérinaire	18
Commandant de bord	8
Officier	7
Ingénieur	18
Sans opinion	5
	% (1)

(1) Le total des pourcentages est supérieur à 100, les personnes interrogées ayant pu donner plusieurs réponses.

Plus tard, aimeriez-vous créer votre propre entreprise ?

Oui	61
Non	34
Sans opinion	5
	100 %

Qu'est-ce qui vous fait peur pour les années à venir ?

Les catastrophes écologiques	10
La montée des dictatures	11
La faim dans le monde	42
La perte d'identité culturelle	2
La crise économique	15
Le terrorisme, la violence	49
Un conflit nucléaire	36
Rien	2
Sans opinion	1
	% (1)

(1) Le total des pourcentages est supérieur à 100, les personnes interrogées ayant pu donner plusieurs réponses.

Est-ce que vous pensez que votre vie sera plus heureuse ou moins heureuse que celle de vos parents ?

Plus heureuse	52
Moins heureuse	13
Sans opinion	35
	100 %

Et qu'est-ce que vous craignez le plus pour vous-même dans les prochaines années ?

Le manque d'argent	37
Les problèmes de logement	8
Vivre seul	10
Le chômage	71
Les accidents (auto, moto)	19
La mésentente familiale	17
Rien	2
Sans opinion	—
	% (1)

(1) Le total des pourcentages est supérieur à 100, les personnes interrogées ayant pu donner deux réponses.

Croyez-vous en Dieu ?

Oui	54
Non	40
Sans opinion	6
	100 %

Croyants, mais... 54 % croient en Dieu. Mais s'ils sont 63 % à le déclarer à 13 ans, ils ne sont plus que 47 % à 17 ans. Les plus croyants : à droite (61 %) et dans le milieu agricole (71 %).

❸ « Les 15-20 ans jugent la France » in *Le Nouvel Observateur*, 25 mars 1983.

[échantillon national représentatif, de 400 personnes âgées de 15 à 20 ans]

Je vais vous citer des mots. Pour chacun d'eux, dites s'il représente pour vous quelque chose de très important ou quelque chose de pas très important.

	Très important	Pas très important	Sans opinion	Total
L'argent	71	28	1	100
La famille	93	6	1	100
La politique	17	71	12	100
L'amour	81	15	4	100
Le syndicalisme	16	68	16	100
Le travail	89	11	—	100
La musique	67	32	1	100
La sexualité	57	36	7	100
La patrie	39	51	10	100
La révolution	16	66	18	100
L'armée	29	62	9	100
La religion	33	57	10	100
Le sport	75	24	1	100
Les droits de l'homme	76	21	3	100
Les voyages	80	19	1	100

Je vais vous citer plusieurs équipements. Pour chacun d'eux, vous indiquerez si vous le possédez *personnellement*.

	Possède personnellement	Possède au foyer	Ne possède pas	Total
Auto	11	71	18	100
Moto	10	8	82	100
Chaîne hi-fi (électrophone)	34	33	33	100
Télévision couleur	2	64	34	100
Magnétophone	53	31	16	100
Magnétoscope	—	9	91	100
Caméra vidéo	—	8	92	100

Si vous aviez totalement le choix, quelle est, parmi celles-ci, la profession que vous souhaiteriez le plus exercer...

Agriculteur	4	Banquier	1
Commerçant	5	Cadre dans la publicité	2
Artisan	3	Employé	4
Patron d'entreprise industrielle	3	Instituteur	4
Médecin	7	Steward/hôtesse de l'air	7
Avocat	5	Ouvrier	5
Professeur	8	Journaliste	9
Ingénieur	8	Officier	1
Directeur commercial	2	Autre	9
Chercheur	3	Sans opinion	7
Chanteur	3	Total	100

A ceux qui déclarent ne pas posséder personnellement les équipements suivants

Aimeriez-vous posséder personnellement...

	Oui	Non	Total
Une auto	79	21	100
Une moto	49	51	100
Une chaine hi-fi (électrophone) . . .	69	31	100
Une télévision couleur	47	53	100
Un magnétophone	52	48	100
Un magnétoscope	54	46	100
Une caméra vidéo	41	59	100

Je vais vous demander d'imaginer ce que vous serez dans dix ans. Pour chacune des situations que je vais vous citer, dites si à votre avis elle se sera réalisée ou pas.

	Oui	Non	Ne sait pas	Total
Vous aurez connu l'expérience du chômage	66	23	11	100
Vous serez marié	69	15	16	100
Vous habiterez en France	73	11	16	100
Vous aurez des enfants	69	17	14	100
Vous aurez un logement confortable	81	4	15	100
Vous serez fidèle à votre conjoint(e)	76	6	18	100
Vous aurez un métier intéressant	87	3	10	100
Vous travaillerez 35 heures par semaine . . .	53	24	23	100

Pensez-vous que votre vie sera plus heureuse ou moins heureuse que celle de vos parents...

Plus heureuse	62
Moins heureuse	9
Sans opinion	9
Total	100

En France aujourd'hui, qu'est-ce qui vous paraît le plus inacceptable ?

Le chômage	28
Les inégalités sociales	16
La violence	38
La cherté de la vie	6
Sans opinion	12
Total	100

Est-ce que personnellement vous vous sentez plus proche...

D'un Arabe de votre âge	41
D'un Français de l'âge de vos parents	36
Sans opinion	23
Total	100

Tous les combien regardez-vous la télévision ? Est-ce...

Rappel enquête IFOP 1966

Tous les jours ou presque	57	42
Deux ou trois fois par semaine	31	26
Environ une fois par semaine	9	15
Moins souvent ou jamais	3	17
Sans opinion	—	—
Total	100	100

Dépensez-vous tout votre argent ou en mettez-vous de côté en prévision de dépenses exceptionnelles ?

Dépense tout	26
En met de côté	64
Ne peut pas dire	10
Total	100

A ceux qui déclarent mettre de l'argent de côté, soit 256 = 100%

Pour quel type de dépenses... (1)

Vêtements	25
Pour l'avenir	13
Sorties, bal, cinéma, théâtre	14
Equipements sportifs	3
Moto et équipements	9
Voiture, cours de code	16
S'installer, appartement	8
Voyages	8
Cadeaux	7
Acheter des petites choses	21
Acheter des livres	3
Aider sa famille	1
Acheter appartement, terres	2
Acheter des valeurs mobilières	1
Autre	1
Sans opinion	3
Total	100

Recevez-vous de l'argent de vos parents ?

Oui	69
Non	31
Total	100

Pour assurer le bonheur des Français, laquelle de ces solutions vous semble la meilleure...

Transformer complètement la société française	18
Réformer de nombreux aspects de la société française	34
Aménager la société française en respectant son cadre actuel	28
Défendre la société française telle qu'elle est aujourd'hui	14
Sans opinion	6
Total	100

Si vous deviez habiter ailleurs qu'en France, préféreriez vous que ce soit...

En Allemagne	12
En Italie	21
En Suède	10
Aux Etats-Unis	36
En U.R.S.S.	—
En Chine	1
Aucun de ces pays	16
Sans opinion	44
Total	100

Exercez-vous une activité professionnelle ?

Oui	24
Non	76
Total	100

Pour ceux exerçant une activité professionnelle.

Tout compte fait, êtes-vous très satisfait, plutôt satisfait, plutôt mécontent ou très mécontent dans votre travail actuel ?

Très satisfait	34	} 82
Plutôt satisfait	48	
Plutôt mécontent	10	} 14
Très mécontent	4	
Sans opinion	4	
Total	100	

Pensez-vous pouvoir discuter avec vos parents de n'importe quel problème qui vous préoccupe ?

Oui, avec les deux	48
Oui, avec mon père seulement	5
Oui, avec ma mère seulement	26
Non	19
N'a pas de parents, ne les voit pas	1
Sans opinion	1
Total	100

Diriez-vous que vous êtes plutôt d'accord ou plutôt pas d'accord avec chacune des opinions que je vais vous citer...

	Plutôt d'accord	Plutôt pas d'accord	Sans opinion	Total
Dans le monde d'aujourd'hui, on assiste à la fin des idéologies	28	48	24	100
La société française est bouchée pour les jeunes parce qu'elle est exclusivement dirigé par des vieux	33	58	9	100

Estimez-vous qu'il est indispensable avant de se marier...

	Oui	Non	Sans opinion	Total
D'avoir fait son service militaire	61	36	3	100
D'avoir un logement à soi	70	29	1	100
D'avoir achevé ses études	77	22	1	100
D'être totalement indépendant de ses parents au point de vue financier	87	9	4	100

Quelle est votre façon préférée d'occuper une soirée libre ?

		Rappel résultats Sondage IFOP en 1961 (1)
Cinéma	15	25
Concert, rock	2	4
Théâtre, autres spectacles	2	
Lecture	5	22
Sorties avec des amis, sorties en groupe	36	21
Ecouter de la musique chez soi	7	—
Regarder la télévision	7	6
Faire de la musique	2	—
Danser	10	13
Se promener, se balader	2	6
Sport	3	6
Sorties avec une personne du sexe opposé	4	5
Bricolage, couture, travaux divers	1	4
Soirée en famille	1	3
Repos, ne rien faire	1	3
Autre chose	1	4
Sans opinion	1	—
	100	(1)

(1) Total supérieur à 100 en raison des réponses multiples.

Diriez-vous que vous vous intéressez à la politique...

Beaucoup	6
Assez	14
Un peu	35
Pas du tout	44
Sans opinion	1
Total	100

Estimez-vous que vous accepteriez de risquer votre vie pour défendre les idées auxquelles vous croyez ?

Oui, sûrement	11 } 56
Oui, peut-être	45
Non, sans doute pas	22 } 40
Non, sûrement pas	18
Sans opinion	4
Total	100

Avez-vous déjà fumé de l'herbe, du haschisch ou de la marijuana ?

Oui, assez souvent	1 } 11
Oui, régulièrement	2
Oui, exceptionnellement	8
Non	88
Sans réponse	1
Total	100

Avez-vous déjà usé de drogues plus dures (cocaïne, L.S.D...) ?

Oui	1
Non	97
Sans réponse	2
Total	100

La virginité a-t-elle pour vous une valeur morale ou sentimentale ?

Oui	45
Non	48
Sans opinion	7
Total	100

Avez-vous déjà eu des relations sexuelles ?

Oui, souvent	28
Oui, exceptionnellement	24
Non	44
Sans réponse	4
Total	100

A quel âge ?

13 ans ou moins	7
14 ans	9
15 ans	18
16 ans	25
17 ans	20
18 ans	12
19 ans	3
20 ans	1
Sans réponse	5
Total	100

Avez-vous eu des relations homosexuelles ?

Oui, souvent	—
Oui, exceptionnellement	1
Non	99
Total	100

Le plaisir sexuel est-il quelque chose d'important dans votre vie ?

Oui, très important	30
Oui, plutôt	50
Non, pas tellement	18
Non, pas du tout	2
Sans opinion	—
Total	100

Sondage réalisé du 4 au 14 mars 1986 auprès d'un échantillon national représentatif, par la méthode des quotas, de 400 personnes âgées de 15 à 20 ans.

« Un autre univers mental », in *La Croix*, 11 octobre 1983

(...) En France, comme dans de nombreux pays développés, c'est le cas notamment aux Etats-Unis, on se trouve presque devant une nouvelle race de jeunes.

Ceux-ci ne sont pas hostiles au monde adulte et à ses valeurs, ils sont ailleurs. Dans un univers culturel différent. Nous voyons apparaître, observent les spécialistes, une nouvelle manière d'être, de penser et de comprendre. L'invasion des médias dans la vie quotidienne, dès le plus jeune âge, modèle progressivement un autre comportement intellectuel et affectif.

Nourris depuis l'enfance d'images et de sons, les jeunes saisissent mieux les situations globales ; ils perçoivent bien les rythmes, les symboles et se trouvent plus à l'aise dans tout ce qui implique une participation intuitive et affective.

Vivant en musique et de musique, les adolescents ont un certain type de rapport à la réalité. Immédiat, sans distance, presque intérieur. Celui qui écoute n'est pas au-dessus mais au-dedans. Il ne domine pas, il est immergé. Il réagit d'abord physiquement et affectivement. Avant d'analyser et de prendre du recul, il ressent avec ses tripes et sa sensibilité.

Il est alors aux antipodes de la rationalité et des démarches logiques. Or, du temps où lecture et écriture façonnaient seules l'esprit des gamins, elles leur apprenaient à suivre un développement linéaire qui progressait dans le temps, par étapes successives. Elles les formaient aux démarches rationnelles pour analyser, classer.

L'appréhension audiovisuelle du monde développe donc un type de pensé par ordonnance globale qui favorise l'affectivité, l'instinct mais rend étranger à la rationalisation.

1. « Vous et l'an 2000 », in *Phosphore*, mars 1986
(Réponse de plus de 400 lecteurs de ce « magazine des années lycées ».

Pensez-vous que vous connaîtrez une période de chômage ?

	G*	F*
Oui, à tout moment il y aura un risque	46%	50%
Oui, sans doute au début	31	32
Je pense que non	23	18

* G : garçon ; F : fille.

En dehors des diplômes, qu'est-ce qui vous sera, à votre avis, le plus utile pour trouver un emploi ?

Mes qualités personnelles	69%
La façon de me présenter	18
Les relations de ma famille	10
C'est uniquement une question de chance	7

Quels sont vos grands plaisirs en l'an 2000 ?

	G	F
Me promener dans la nature	45%	49%
Faire du sport	48	47
Faire l'amour	38	26
Me baigner dans ma piscine privée	14	29
Voir des films	14	18
Jouer avec mon micro ordinateur	18	11
Bien manger.................	12	8

Quel est le problème que vous aimeriez voir résolu en priorité pour l'an 2000 ?

La faim dans le monde	45%
Le chômage.................	18
La prolifération des armes nucléaires	16
Le cancer	11
Le racisme.................	9
Divers	1

Jusqu'à quel âge pensez-vous vivre ?

65 ans	10%	
75 ans	24	
85 ans	34	
95 ans et plus	25	59
Divers.................	7	

2. « Faut-il avoir peur de l'an 2000 ? » in *L'Événement du jeudi*, 3 juillet 1986
(Sondage auprès d'un échantillon de 1 000 personnes)

Pensez-vous qu'en l'an 2000...

Il y aura plus de solidarité entre les gens	15
Il y aura plus d'individualisme	58
Il n'y aura pas de changement	20
Sans opinion	7
	100%

La libération des mœurs sera plus grande qu'aujourd'hui	26
Il y aura un retour à la morale traditionnelle	39
Il n'y aura pas de changement	26
Sans opinion	9
	100%

La religion aura plus d'importance qu'aujourd'hui ...	19
La religion aura moins d'importance.................	43
Il n'y aura pas de changement	31
Sans opinion	7
	100%

Il y aura un retour à la famille	43
La famille aura moins d'importance qu'aujourd'hui ..	22
Il n'y aura pas de changement	28
Sans opinion	7
	100%

Parmi ces événements, lesquels vous semblent les plus probables d'ici à l'an 2000 (1)

Le développement du chômage	57%
La montée du terrorisme et de la violence	49%
La faim dans le monde	38%
Des catastrophes écologiques (nucléaire, pollutions, atmosphériques)	32%
La montée de la drogue.................	29%
L'aggravation de la crise économique	38%
Le déclin de la France et de l'Europe	16%
Une guerre atomique	10%
La montée des dictatures	9%

(1) Total supérieur à 100, en raison des réponses multiples

Pensez-vous qu'en l'an 2000 la France se classera...

Dans le peloton de tête des grandes puissances mondiales	28
Dans les grandes puissances mondiales mais de justesse	51
Ne sera plus parmi les grandes puissances mondiales ...	12
Sans opinion	9

3. « 20 ans aujourd'hui », in *L'Expansion*, 23 octobre 1987 (sondage auprès d'un échantillon représentatif de 600 jeunes de 18 à 25 ans).

1. Dans les prochaines années, souhaitez-vous que se développe en France :

En %

Une société qui fasse plus de place à l'initiative individuelle
Une société qui fasse plus de place à la solidarité
Sans opinion

Filles	Garçons	Gauche	Droite	Sans préférence	Ensemble
19	32	23	40	21	26
76	62	72	57	72	69
5	6	5	3	7	5

Dans les vingt ans qui viennent pensez-vous que la France retrouvera le plein emploi et la prospérité.

En %

Oui	26
Non	64
Sans opinion	10

Quelle nationalité souhaiteriez-vous avoir dans vingt ans : la nationalité française ou la nationalité européenne ?

En %	Lycéens, étudiants	Chômeurs	Actifs	Ensemble
Française	36	64	54	51
Européenne	60	34	40	45
Sans opinion	4	2	6	4

Pour chacune de ces questions, pensez-vous qu'on fera des progrès dans les vingt ans qui viennent ?

	Des progrès très importants ou importants	Pas de progrès du tout	Il y aura un recul	Sans opinion
La construction de l'Europe	80	9	3	8
Le développement du Tiers Monde	59	29	6	6
Les conditions de vie des Français	44	39	12	5
Le désarmement	41	45	6	8
Les relations entre les gens dans la société	39	40	16	5
L'intégration des immigrés dans la société française	36	37	18	9

Qu'est-ce qui vous fait peur pour les années à venir ?

En % (1)	Ensemble	Gauche	Droite	Sans préférence
Le terrorisme, la violence	54	54	54	54
La crise économique, le chômage	52	54	47	55
Un conflit nucléaire	41	42	34	43
La faim dans le monde	30	36	20	32
La montée de l'égoïsme dans la société	29	33	17	31
Le sida	28	22	33	34
La montée des dictatures	22	31	13	18
Les catastrophes écologiques	21	28	16	13
Le déclin de la France	14	7	18	18
La perte de l'identité nationale, en raison du grand nombre d'immigrés	13	6	23	12
Le développement du communisme	5	2	9	6
Rien	1	0	1	1

(1) Le total des pourcentages est supérieur à 100, les jeunes interrogés ayant pu donner plusieurs réponses.

Pensez-vous qu'il y a de grandes chances ou pas que vous exerciez plus tard un métier qui vous plaise vraiment ?

En %	Filles	Garçons	Ensemble
Il y a de grandes chances	59	69	64
Il a peu de chances	38	29	34
Sans opinion	3	2	2

De laquelle de ces deux attitudes vous sentez-vous le plus proche ?

En %	Ensemble	18-21 ans	22-25 ans
Je suis prêt à faire des sacrifices importants dans ma vie personnelle pour mieux réussir ma vie professionnelle	66	72	60
Je ne suis pas prêt à faire des sacrifices importants dans ma vie personnelle pour mieux réussir ma vie professionnelle	31	27	36
Sans opinion	3	1	4

Voici différents avantages qu'une entreprise peut offrir aux jeunes qu'elle embauche. Indiquez les quatre auxquels vous attachez personnellement le plus d'importance.

En % (1)	
	60
Une entreprise où il y ait une bonne ambiance	49
Une rémunération élevée	38
La possibilité de prendre rapidement des responsabilités	33
La possibilité de travailler à l'étranger	30
De l'autonomie	28
Un cadre de travail agréable (ateliers propres, bureaux confortables, etc.)	25
Un travail pas trop accaparant qui laise du temps à la vie privée	23
Une progression de carrière organisée dans l'entreprise	22
Des avantages sociaux importants	19
Une entreprise à proximité du lieu où vous habitez actuellement	14
Des postes formateurs, qui servent de tremplin pour changer d'entreprise	14
Une entreprise mettant en œuvre des technologies de pointe	13
Une entreprise prestigieuse, valorisante	6

(1) Le total des pourcentages est supérieur à 100, les jeunes interrogés ayant pu donner quatre réponses.

Quand on vous parle de quelqu'un qui a fait fortune en quelques années, éprouvez-vous à son égard plutôt de l'admiration ou plutôt de la méfiance ?

En %	18-25 ans	Ensemble des Français (1)
Plutôt de l'admiration	**63**	**43**
Plutôt de la méfiance	**25**	**42**
Sans opinion	**12**	**15**

(1) Enquête L'Expansion-Sofres juin 1986.

Etre adulte en l'an 2 000, ce sera pour vous :

Plutôt une chance	73%
Plutôt une malchance	22%
Ne se prononcent pas	5%

Et la vie sera-t-elle ?

Plus facile	42%
Moins facile	55%
Ne se prononcent pas	3%

En l'an 2 000, souhaiteriez-vous être plutôt...

Salarié dans le secteur nationalisé	9%
Salarié dans la fonction publique	19%
Salarié dans le secteur privé	13%
Installé à votre compte (entreprise ou profession libérale)	57%
Ne se prononcent pas	2%

Quels sont, parmi les mots suivants, les trois qui définissent le mieux, selon vous, ce que sera la France de l'an 2 000 ? (1). Et les trois qui correspondent le mieux à ce que vous souhaitez qu'elle soit ? (2).

	(1)		(2)
Technologie	40%	Liberté	57%
Compétition	38	Solidarité	46
Concurrence	36	Justice	41
Innovation	25	Egalité	34
Liberté	20	Dynamisme	24
Pouvoir de l'Etat	20	Innovation	19
Bureaucratie	16	Pouvoir du citoyen	18
Dynamisme	16	Grandeur	16
Solidarité	14	Assistance	13
Justice	13	Compétition	12
Egalité	12	Technologie	11
Déclin	11	Concurrence	5
Grandeur	10	Pouvoir de l'Etat	2
Assistance	10	Hiérarchie	1
Hiérarchie	9	Bureaucratie	0
Pouvoir du citoyen	5	Etatisme	0
Etatisme	4	Déclin	0
Ne se prononcent pas	0	Ne se prononcent pas	0

Si dans vingt ans vous pouviez occuper l'une des fonctions suivantes, laquelle préfériez-vous ?

En %	
Chef d'entreprise	**28**
Chercheur scientifique	**20**
Ingénieur participant au développement du Tiers Monde	**19**
Vedette de télévision	**10**
Rentier	**9**
Financier international	**8**
Sans opinion	**6**

Estimez-vous qu'aujourd'hui les jeunes et les adultes se comprennent ?

En %	
Très bien	**3**
Assez bien	**61**
Assez mal	**32**
Très mal	**6**
Sans opinion	**1**

attendre, on n'est pas plus « révolté » à gauche qu'à droite ; mais l'absence d'engagement politique coïncide avec une vision plus négative du monde des adultes.

Pour vous, dans vingt ans, quel est votre souhait ?

En %	
1. Etre célibataire	**6**
2. Vivre en couple sans être marié et sans avoir d'enfants	**5**
3. Etre marié, sans enfants	**2**
4. Vivre en couple, sans être marié, avec un ou deux enfants	**22**
5. Etre marié, avec un ou deux enfants	**45**
6. Vivre en couple sans être marié, avec trois ou quatre enfants	**5**
7. Etre marié, avec trois ou quatre enfants	**13**
8. Sans opinion	**2**

Répartition selon la nature du ménage

En %	Gauche	Droite	Sans préférence	Ensemble
Etre célibataire	**3**	**7**	**6**	**6**
Vivre en couple sans être marié	**39**	**18**	**31**	**32**
Etre marié	**55**	**74**	**60**	**60**
Sans opinion	**3**	**1**	**3**	**2**

Répartition selon le nombre d'enfants

En %	Filles	Garçons	Ensemble
Ne pas avoir d'enfants	**5**	**9**	**7**
Avoir un ou deux enfants	**69**	**65**	**67**
Avoir trois ou quatre enfants	**20**	**16**	**18**
Sans opinion ou célibataire	**6**	**10**	**8**

En l'an 2 000, diriez-vous que le développement des nouvelles technologies aura des effets positifs (1) ou négatifs (2) sur...

	(1)	(2)
La médecine	95%	5%
La conquête de l'espace	88	8
Le commerce	86	10
L'information	85	11
La construction européenne	85	11
La place de la France dans le monde	81	14
La croissance économique	73	23
Les loisirs	70	23
Les médias	68	25
L'éducation	63	30
La nature du travail	61	33
L'intelligence	61	29
L'alimentation	58	38
La liberté	56	37
La communication entre les hommes	51	45
La démocratie	50	36
La participation des citoyens à la vie publique	47	39
L'emploi	43	55
La sauvegarde de certaines espèces animales	41	53
Les rapports entre les hommes dans le travail	40	53
Le bonheur des gens	37	50
La paix dans le monde	35	57
Les mentalités	32	59

Imaginez qu'en l'an 2 000 vous ayez à choisir entre : avoir plus de temps libre et gagner moins d'argent, ou travailler davantage et gagner plus d'argent. Que choisissez-vous ?

Travailler moins et gagner moins	37%
Travailler plus et gagner plus	62
Ne se prononcent pas	1

Sur le plan technologique, la France est-elle plutôt bien placée ou plutôt mal placée pour faire face aux défis et aux enjeux de l'an 2 000 ? et l'Europe ?

	France	Europe
Plutôt bien placée	63%	79%
Plutôt mal placée	33	17
Ne se prononcent pas	4	4

A qui faites-vous le plus confiance pour préparer la France aux enjeux technologiques de l'an 2 000 ?

Aux scientifiques	48%
Aux jeunes comme vous	27
Aux chefs d'entreprise	16
Aux hommes politiques	4
Aux enseignants	3
Aux fonctionnaires	1
Ne se prononcent pas	1

Lorsque vous pensez à la façon dont vous vivrez en l'an 2 000, quels sont vos espoirs ? (1). Et quelles sont vos craintes ? (2). (Questions ouvertes, réponses non suggérées.)*

	(1)		(2)
Avoir un travail (intéressant)	44%	La guerre	44%
La diminution du chômage	26	Le chômage	43
Qu'il n'y ait plus de guerre	21	Une modernisation trop rapide, l'informatisation à outrance, l'uniformatisation	22
Avoir une famille	17		
Avoir de l'argent	15	Le sida et de nouvelles maladies	12
La simplification de la vie grâce à la technologie	15	Une crise économique	8
Une plus grande solidarité nationale et internationale	14	La violence, la délinquance	7
Voir évoluer la médecine pour les maladies comme le sida et le cancer	12	La pollution	6
		Le nucléaire	5
Avoir plus de loisirs	12	Le terrorisme	4
Etre heureux	9	Le racisme, les injustices	4
Etre plus libre	5	La surpopulation	4
Qu'il y ait moins de racisme	5	La famine	4
Etre établi à mon compte	3	La solitude	2
Posséder une maison	2	Le manque de qualification	1
Autres	10	Autres	6
Ne se prononcent pas	4	Ne se prononcent pas	8

Voici un certain nombre de transformations que les nouvelles technologies pourraient introduire dans notre vie quotidienne, dans la société et dans le monde en l'an 2 000. Pour chacune d'elles, pouvez-vous dire si elle vous paraît souhaitable ou pas, possible ou pas ?

	SOUHAITABLE	POSSIBLE
Vaincre le cancer	100%	84%
Vaincre le sida	99	79
Développer l'énergie solaire	93	91
Développer l'énergie éolienne	92	85
Recevoir les chaînes de télévision du monde entier	92	92
Faire Paris-New York en deux heures	91	85
Consulter sur ordinateur les ouvrages de la Bibliothèque nationale	89	94
Développer l'énergie contenue au fond des océans	87	84
Construire des matériaux nouveaux dans l'espace	86	84
Vivre plus vieux	73	69
Modifier le climat de la Terre	64	39
Avoir une voiture à pilotage automatique	62	89
Vivre et travailler dans l'espace	59	63
Ne plus utiliser de billets de banque	55	75
Travailler sans papier	51	59
Faire ses courses sans sortir de chez soi	44	73
Pouvoir choisir le sexe de son enfant	36	73
Ne plus être obligé d'aller à l'école grâce à la télématique	35	79
Consulter son médecin à distance	31	57
Avoir des enfants surdoués grâce à la génétique	22	50
Pouvoir se passer de repas grâce à une pilule nutritive	17	69

Se trouve dans une citation

INDEX DES NOTIONS

Les chiffres romains renvoient aux chapitres

ÉLÉMENTS DE BIBLIOGRAPHIE

I. Pour la France contemporaine (ouvrages généraux)

N.B. Il s'agit des ouvrages que nous considérons comme une bibliothèque de base du professeur de civilisation contemporaine. Avec la presse, ils représentent l'essentiel de nos sources pour le livre que voici.

Bourdieu, P., **La Distinction** (Editions de Minuit, 1979)

Brémond, J. et G., **L'Economie française face aux défis mondiaux** (Hatier, 1985)

Demain la France (Hachette-Pluriel, 1986)

Goguel, F. et A. Grosser, **La Politique en France** (A. Colin, 1984)

Goubet, M. et J.-L. Roucolle, **Population et société françaises 1945-1984** (Sirey, 1984)

Mendras, H., **La Sagesse et le désordre** (Gallimard, 1980)

Monneron, J.-L. et A. Rowley, **Les 25 ans qui ont transformé la France.** Histoire du peuple français vol. VI (Nouvelle Librairie de France, 1986).

Noin, D., **L'espace français** (A. Colin, 1984)

Potel, J.-Y., **L'Etat de la France** (La Découverte, 1985)

Le Revenu des ménages 1960-1984 (CERC, 1986)

Reynaud, J-D., et S. Grafmeyer, **Français, qui êtes-vous ?** (Documentation française, 1981)

Savy, M. et P. Beckouche, **Atlas des Français** (Hachette-Pluriel, 1985)

II. Pour se documenter, se tenir au courant, etc.

Cahiers français (Documentation française, 29 quai Voltaire, 75007 Paris)

Données sociales (INSEE, numéro le plus récent)

Dossiers et documents du « Monde » (7 rue des Italiens, 75427 Paris Cedex 09)

Echos (Centre International d'Etudes Pédagogiques de Sèvres, 1 avenue Léon Journault, 92310 Sèvres)

Le Français dans le monde (79 bd. Saint-Germain, 75006 Paris)

Frémy, Dominique et Mireille, **Quid** (Plon, annuel)

U.J.E.L.C., (C.I.E.P. - voir **Echos**)

Knox, E., « Bibliography on the Teaching of French Civilization » **French Review** LVIII (February 1985) et LX (December 1987)

Mermet, G., **Francoscopie** (Larousse, à partir de 1985)

SOFRES, **L'Opinion publique en...** (Gallimard, 1977, 1984-6)

U.J.E.L.C., (C.I.E.P. - voir **Echos**)

table des illustrations

Achevé d'imprimer en France par Pollina, 85400 Luçon - n° 12801
Dépôt légal n° 1/1945 - septembre 1990